GARFIELD EN PROFONDEUR

GARFIELD EN PROFONDEUR

CRÉÉ PAR
JIM DAVIS

ÉCRIT PAR
MARK ACEY ET SCOTT NICKEL

PRESSES AVENTURE

Publié par **Presses Aventure,** une division de
Les Publications Modus Vivendi inc.
5150, boul. Saint-Laurent
Montréal (Québec)
Canada
H2T 1R8

Infographie : Modus Vivendi
Version française : Carole Damphousse

Dépôt légal, 3e trimestre 2005
Bibliothèque nationale du Québec
Bibliothèque nationale du Canada

ISBN : 2-89543-318-6

Nous reconnaissons le soutien financier du gouvernement du Canada par l'entremise du Programme d'aide au développement de l'industrie de l'édition (PADIÉ) pour nos activités d'édition.

Gouvernement du Québec – Programme de crédit d'impôt pour l'édition de livres – Gestion SODEC

CRÉDITS

AUTEURS
MARK ACEY ET SCOTT NICKEL

DIRECTEUR ARTISTIQUE
BETSY KNOTTS

CONCEPTEUR
KENNY GOETZINGER

ILLUSTRATEURS
GARY BARKER, LORI BARKER, LARRY FENTZ, MIKE FENTZ, BRETT KOTH, LYNETTE NUDING, ERIC REAVES

PRODUCTION ARTISTIQUE
LINDA DUELL

TABLE DES MATIÈRES

INTRODUCTION

TOUT LE MONDE
A DROIT
À MON OPINION

Ce livre comprend tout ce que vous avez toujours voulu savoir à propos de tout (mais vous étiez trop paresseux pour le demander). OK, il s'agit là de mes opinions, pas si humbles que ça, au sujet de tout. Je *suis* un expert imposant qui a la langue bien pendue et qui possède le don du superflu. Puisque je déambule sur cette terre depuis plus d'un quart de siècle, comme la plupart des bons-hommes, je me sens qualifié – même forcé – d'infliger mes points de vue à tout le monde.

J'ai compilé ce guide tordu dans lequel j'interviens sur des sujets tels que les scientifiques cinglés, les postiers, le mariage, le désordre, les souris, les lundis, l'argent, les monstres, les matins, les films, les coupes de cheveux – et il s'agit là uniquement de ce qui me fascine le plus.

J'offre des informations intéressantes et narquoises qui ont rapport à tout, des extra-terrestres jusqu'aux boutons dans le visage : loufoques, vulgaires, urbaines, bêtes... Tout est là, exprimé dans ma grandiose gloire garfieldienne.

Donc, je me propose d'être votre guide, et profitez bien de la ballade. Bienvenue dans les mots de mon univers....

GARFIELD À PROPOS DES EXTRA-TERRESTRES

Étranges créatures voyageant sur de grandes distances... menaçant d'envahir nos maisons. Mince ! Ça ressemble aux beaux-parents ! Mais les extra-terrestres sont beaucoup plus effrayants.
Ils ressemblent à des insectes ou à des lézards ou, pire encore, à Michael Jackson !

VOUS LES TERRIENS, QUELLES CRÉATURES ÉTRANGES ! QUELLE EST VOTRE SOURCE D'ÉNERGIE : ATOMIQUE ? SOLAIRE ? À PILES ?
CAFÉINE

Les gens pensent qu'ils veulent conquérir notre planète. Peut-être viennent-ils sur terre uniquement pour de la nourriture ? J'ai vu des photos de Mars. Que des roches et du sable. Aucun restaurant ne sert des gaufres sur cette planète. Mais surtout, pas de service au volant. Qui peut les blâmer de vouloir partir ? C'est peut-être encourageant de faire quelques milliers de kilomètres pour manger un plat de bonnes frites ?

DATE RÉPERTORIÉE : 2254. LE CAPITAINE GARFIELD DÉAMBULE DANS LA GALAXIE.
JIM DAVIS 9-27
À LA RECHERCHE DE NOUVELLES ET ÉTRANGES FORMES DE VIE.
BONJOUR GARFIELD
BREF VOYAGE
© 1990 PAWS, INC. All Rights Reserved.

GARFIELD À PROPOS DES ARTS

Quand il s'agit des arts, j'aime les classiques : Michel-Ange, De Vinci, Rembrandt et tout sur le velours noir. De plus, j'aime bien certains impressionnistes. Principalement ce riche petit bonhomme. Cependant, je ne peux pas dire que je suis un grand admirateur de l'art moderne. Traitez-moi de plouc inculte, mais je ne comprends juste pas la majeure partie de ces soi-disant objets d'art.

Par exemple, prenez le cubisme. Des gens avec trois yeux et six jambes et avec des nez à l'envers ? Qui est la gourde qui a pensé à ce style niais ? Puis il y a cet expressionnisme abstrait. Si on appelle cela de l'art, alors je suis le président de Weight Watchers. Je pense qu'Odie pourrait faire de meilleurs tableaux avec sa langue. Surtout ne me demandez pas de commencer à parler de l'art populaire. Une grosse boîte de soupe ? Vous n'avez pas besoin d'aller dans un musée pour voir ça; allez chez Wal-Mart.

À vrai dire, la seule forme d'art moderne qui m'intéresse est le surréalisme. Maintenant c'est quelque chose d'extravagant. Je ne connais pas vraiment Salvador Dali, mais en regardant ses toiles, je parie qu'il était un joyeux meneur de party !

JE SUIS DANS UN ESPRIT ARTISTIQUE !
JE VAIS PEINDRE UNE TOILE !
PAR OÙ COMMENCER?
COUPER UNE OREILLE
JIM DAVIS 1-8
© 1998 PAWS, INC./Distributed by Universal Press Syndicate

PRENEZ GARDE AU CHIEN artiste
GRIFFONNE GRIFFONNE GRIFFONNE
ZIP
MON NEZ N'EST PAS AUSSI GROS !
JIM DAVIS 11-29
© 2001 PAWS, INC. All Rights Reserved.

GARFIELD À PROPOS DE L'ASTROLOGIE

Quel est mon signe ? Quelle est la portée de sa signification ? Ou peut-être que ça « fonctionnera pour les beignes ».

À vrai dire, mon signe astrologique est Gémeaux, le signe des jumeaux. Pas étonnant que j'aime autant manger… je mange pour deux.

Les origines de l'astrologie que nous connaissons de nos jours remontent à l'ancienne Mésopotamie (2300 av. J.-C.). Je crois que tout a débuté dans les bars pour célibataires de la Mésopotamie lorsque dans ces lieux de rencontre on disait : « Hé ! poupée, quel est ton signe ? »

Les signes astrologiques modernes (le « Zodiaque ») sont en vogue depuis la dernière partie du 20e siècle. Cette « science » utilise un système compliqué de planètes, de constellations et d'éléments pour prédire votre avenir. Je pense qu'une boule magique no 8 serait tout aussi efficace.

Cependant, si vous aimez croire que, lorsque la Lune se trouve dans la septième maison et que Jupiter s'aligne avec Mars, c'est une bonne journée pour acheter un billet de loterie ou commencer une nouvelle relation, loin de moi l'idée de pleurer sur votre sort cosmique.

Je vous le concède, les horoscopes me rendent sceptique… mais ils peuvent être amusants. Qu'est-ce que les astres disent de vous ? Découvrez-le…

Gémeaux
21 MAI * 20 JUIN

Les Gémeaux pensent qu'il vaut mieux travailler deux fois moins et avoir deux fois plus de plaisir !

Verseau

20 jan • 18 fev

Le Verseau craint peu la vie... sauf peut-être de manquer de boisson.

Cancer

21 juin • 22 juil

Le Cancer préfère les joies domestiques... famille, sécurité et un frigo bien rempli.

Lion

23 juil • 22 août

Le Lion est brave et loyal, gentil et attentionné. Sa générosité va au-delà de sa marge de crédit.

Sagittaire

22 nov • 21 déc

Expressif et sincère (qu'il le ressente ou pas), le Sagittaire a un appétit vorace pour la vie.

Vierge

23 août • 22 sept

Studieuse et méticuleuse, la Vierge fait toujours du bon travail... et semble la bonne personne pour l'effectuer.

Scorpion

23 oct • 21 nov

Le Scorpion peut résister à la tentation, mais préfèrerait ne pas avoir à le faire.

Capricorne

22 déc • 19 jan

Le Capricorne est ambitieux, mais pas jusqu'à midi.

Balance

23 sept • 22 oct

Très indépendante, la Balance n'aime pas les règlements, particulièrement lorsque cela a trait aux limites par rapport aux desserts.

Taureau

20 avril • 20 mai

Allant droit au but, le Taureau donne toujours deux choix : à prendre ou à laisser.

Bélier

21 mars • 19 avril

Le Bélier ne garde jamais rancune. Il règle ses comptes sur-le-champ.

Poisson

19 fév • 20 mars

Calme, le Poisson s'abonnera à un gym pour pouvoir fréquenter le bar à desserts.

GARFIELD À PROPOS DES PÈSE-PERSONNE

Tout le monde appréhende de monter sur le pèse-personne pour vérifier son poids. Mais pour moi, c'est encore pire. J'ai un pèse-personne parlant qui insiste pour me donner un coup dans la graisse. Au fil des ans, il m'a qualifié de « boule de lard », appelé « Flabbo », « Tubby », « derrière de baleine » et « Votre Embonpoint ». Mais j'ai également eu ma revanche électronique. Je l'ai frappé, je lui ai donné des coups, maché dessus avec des chaussures de golf et j'ai même mis un piano dessus.

Alors que cet ennuyeux appareil avec une attitude aussi rude pourrait toujours avoir le dernier mot, j'ai le dernier rire. Même si le pèse-personne est plein d'esprit, il ne peut gagner. Il échoue toujours avec un gros chat debout sur lui.

TU VIENS DE DONNER NAISSANCE À UN DOUBLE MENTON!

TU ES GROS
NON, NON, J'AI DE GROS OS
JPM DAVIS 10-2
© 2001 PAWS, INC. All Rights Reserved.
GODZILLA AVAIT DE GROS OS ... TU ES GROS.

GARFIELD À PROPOS DU PIERCING

Je ne comprends pas. Les gens évitent généralement de se ficher des bijoux dans le nez, les sourcils et sur la langue. Maintenant, ils sont en train de se transformer eux-mêmes en pelotes à épingles humaines.

Le piercing n'est pas seulement sans attrait, mais il est également incommode. Passer au détecteur de métal dans un aéroport peut prendre des heures. Imaginez à quel point cela peut être désagréable (et douloureux) d'avoir un nez avec un anneau lorsque vous avez le rhume. Mais ce n'est pas le pire. Avez-vous déjà essayé de manger avec un clou sur la langue ? Ou faire votre toilette ? Ouch !

Le seul piercing qui a du sens est un anneau dans votre nombril. Au moins, vous pouvez enfin y attacher vos clés pour ne plus les perdre !

Quel sera le prochain engouement bizarre ?
Les ados en viendront-ils à se percer les organes internes ?
APPENDICE
COOOOL !
POUMONS

GARFIELD À PROPOS DES QUILLES

JE FAIS L'ÉQUIPE À MOI SEUL

Les quilles, c'est mon truc. Ce que j'aime le plus, c'est le temps libre. Évidemment, j'utilise généralement ce temps pour manger. Après avoir renversé quelques quilles, j'attaque une pizza. J'aime bien faire un lancé qui va dans le dalot; mais ultimement, je ne suis pas intéressé à faire partie des « balourds » et 10-7 grands écarts. Je préférerais plutôt aller au bistro pour un wrap bien garni et une bonne glace !

J'aime bien le style... Les chemises jusqu'aux hanches et les souliers. Je suis l'unique chat de l'allée qui est décontracté. Mon look est aussi intéressant qu'une boule de quilles. Je joue dans le dalot mais mon accoutrement me va bien.

Les quilles intéressent la personne moyenne (et la moyenne est mon affaire). En fait, c'est beaucoup de plaisir pour tout le monde ! Vous n'avez pas à être enthousiaste ou musclé grâce aux stéroïdes. Oubliez les athlètes bien bâtis : mon modèle « embobiné » est un corps à la Fred Cailloux !

VOUS NE RENCONTREZ QUE DES TYPES ATHLÉTIQUES ?
JPM DAVIS 11-22
EH BIEN, MARIE, J'AI DE BONNES NOUVELLES
© 2002 PAWS, INC. All Rights Reserved.
JE PORTE DES SOULIERS DE QUILLES !
CLICK
BOULE DANS LE DALOT...

GARFIELD À PROPOS DU CAMPING

En ce qui me concerne, le grand air n'offre rien de très intéressant. Il n'y a pas de livraison de pizza, vous ne savez jamais quand le camion Bigfoot bruyant va rappliquer et quand le téléviseur alimenté par piles tombera à plat.

LA SEULE MOUSSE QUE JE PRÉFÈRE EST EN CHOCOLAT !

Ensuite, il y a des millions d'insectes. Ils bourdonnent, mordent, ondulent, entrent furtivement. Ils sont plus ennuyants qu'une horde de vendeurs d'assurances.

Puis qui a besoin d'un feu de camp ? À la maison, je me suis équipé d'un four à micro-ondes qui rôtit une douzaine de guimauves en vingt secondes, pas plus.

Vous pouvez garder vos tentes. Selon moi, le plus difficile est un hôtel sans service aux chambres.

QUE PENSES-TU DE MA NOUVELLE TENTE GARFIELD ? JE L'AI ACHETÉE EN SOLDE.
JIM DAVIS 9-19
GOOSH !
© 1990 PAWS, INC. All Rights Reserved.
TOUTE UNE AUBAINE !

GARFIELD À PROPOS DES CHATS

RÈGLES DE CHATS !

Les chats sont rois. Les anciens Égyptiens nous admiraient (évidemment, une civilisation avancée). Les pharaons se sont fait momifier, nous pouvons donc aller les retrouver pour « la grande sieste ». (Heureusement, nous avons neuf vies). Une découverte récente nous a appris qu'un chat a été enterré dans un tombeau il y a 9 500 ans sur l'île de Chypre. Cela me dit que mes nobles ancêtres ont eu une place d'honneur (bien méritée) même sur le chemin du retour.

Que puis-je dire ? Nous connaître c'est nous révérer. Dans le passé, c'était vrai et cela se poursuivra dans l'avenir. Nos (hem...) « maîtres » nous adorent tellement qu'ils sont comme de la pâte molle entre nos pattes. Ils font les lois; nous les brisons. Quelle merveilleuse relation !

RAISONS POUR POSSÉDER UN CHAT PLUTÔT QU'UN CHIEN

- Pas besoin de rendre votre maison résistante à la bave.
- Un chat ne vous traînera pas à l'extérieur dans le blizzard pour faire pipi contre un arbre.
- Rien n'effraie plus un voleur que de trébucher sur un chat.
- L'haleine d'un chien a même tué un gars de Cincinnati.
- Le chat n'entretient aucun intérêt pour votre jambe.

Oui, les chats sont les meilleurs animaux domestiques sur lesquels vous pouvez compter. Rien de plus confortable qu'un flanc réchauffé par un chat. Nous sommes les plus rigolos sur quatre pattes ! Les chiens sont des andouilles. Aucune comparaison à faire. Pendant que les chats font la sieste, les chiens jappent. Les chats sont propres; les chiens sont obscènes. (Ils boivent dans les toilettes. Tout est dit.) J'oubliais que les chats sont brillants tandis que les chiens viennent d'une planète vraiment bête. (C'est ma théorie et j'y tiens.)

Mais je n'ai pas à diminuer les chiens (quoique ce soit toujours plaisant) pour valoriser les chats. Les pharaons ne passent pas l'éternité avec Fido. L'histoire est classée.

Les chats pensent / Les chiens empestent

GARFIELD À PROPOS DE NOËL

Oubliez les marrons... Je préfère le maïs pour chiens rôti sur la flamme. Noël est la période de l'année que je préfère. Après tout, cette période offre les trois choses que j'aime le plus : la nourriture, les cadeaux et encore plus de nourriture.

PENSEZ GRAND POUR DEVENIR GRAND

Le temps des fêtes a ses traditions spéciales... comme les désastres de Jon lorsqu'il installe ses décorations (il a perdu cinq des six dernières vieilles boules de Noël en en suspendant beaucoup trop à la même branche) et Noël à la ferme (c'est lorsque le père de Jon porte ses salopettes).

Et puis, qui peut oublier les charmantes émissions de télévision qui célèbrent Noël durant cette période ? Des classiques tels « Azalée la frisée, l'araignée qui a sauvé Noël » et « David de Noël, le lutin qui a retenu son souffle le plus longtemps ».

Parfois, Noël donne l'impression d'être devenu commercial, mais moi je sais que cette période est vraiment plus importante que la plus grosse des boîtes sous l'arbre. Je l'ai déjà dit et je le dis encore : « Noël, ce n'est pas donner ou recevoir des cadeaux, c'est l'amour ».

SNIFF SNIFF SNIFF SNIFF
JIM DAVIS 12-20
© 1993 PAWS, INC. All Rights Reserved.
NOËL EST DANS L'AIR
LES BISCUITS SONT PRÊTS !
TOUT CHAUDS SORTIS DU FOUR !

J'ÉCRIS UNE LETTRE AU PÈRE NOËL
© 1997 PAWS, INC./Distributed by Universal Press Syndicate
COMME C'EST PITTORESQUE ET ANCIEN
JIM DAVIS 12-5
JE LUI AI ENVOYÉ UN COURRIEL

TCHIC TCHIC TCHIC
HUM... UN BRUIT FORMIDABLE
GARFIELD
C'EST BON SIGNE
© 1994 PAWS, INC. All Rights Reserved.
JIM DAVIS 12-16
ÇA VEUT DIRE QUE CE NE SONT PAS DES SOUS-VÊTEMENTS

GARFIELD À PROPOS DES CLOWNS

Certaines personnes sont fascinées par les clowns; moi, je les trouve simplement ennuyants avec leurs sempiternelles trompettes et tartes au visage. (Les tartes doivent être mangées, non lancées !) Si 30 clowns veulent monter dans une Volkswagen… qu'est-ce qui arrive ?

Tout cela est ironique car non seulement je vis avec un clown (avez-vous déjà vu la robe de chambre complètement dingue de Jon ?) mais une fois, j'ai été moi-même un clown ! Odie et moi avions décidé de nous éloigner de la maison; nous avions joint un cirque où j'ai été forcé de travailler comme clown et on m'avait surnommé « Rotundo » (l'indignation !).

J'ai joué comme Binky, le clown que l'on voit à la télévision. Odieusement lourd (comparativement à Binky, Krakatoa était un bon rot). Mais je préfère toujours un clown bruyant à un mime bête.

MESDAMES ET MESSIEURS ! MON ASSISTANT… ROTUNDO LE CLOWN !
ROTUNDO ?
9-19
ROTUNDO REÇOIT MAINTENANT UNE TARTE AU VISAGE !
SPLUT!
© 1986 PAWS, INC. All Rights Reserved.
JIM DAVIS
DE MON ASSISTANT DUMMY LE CLOWN !
NOUS NOUS RESSEMBLONS VAGUEMENT

LA PAROLE AU CLOWN

ALLONS DANS UN ENDROIT CALME. CET ENDROIT EST UN CIRQUE !
AVEZ-VOUS RETROUVÉ MA BLAGUE EN OR AVEC UN DIAMANT INCRUSTÉ ?
ETES-VOUS SÉRIEUX ? BIEN SÛR QUE JE CONNAIS BOZO !
QUELLE COÏNCIDENCE ! JE PORTE LA MÊME TEINTE DE ROUGE À LÈVRES !
UNE FILLE COMME VOUS POURRAIT RÉELLEMENT PRESSER MON KLAXON !

GARFIELD À PROPOS DU CAFÉ

Java, joe, cappuccino, expresso... Ce sont tous des cafés et ils sont tous bons. Un café portant un autre nom pourrait aussi être excellent. Mais il y a une chose : ce merveilleux élixir de vie, ce fondement de la civilisation – il se doit d'être fort. Je veux dire, Hercule, l'homme fort. En fait, je pense que généralement il doit boire une cafetière en entier pour se mettre en forme avant de soulever un éléphant.

JE SUIS UN ACCRO DU JAVA

Décaféiné ? Faites-moi rire. Ce mélange est fait pour les poules mouillées et ceux qui se prennent pour des puristes. Je suis un fanatique du café... né pour être intoxiqué... Je suis toujours prêt pour un café ! Particulièrement le matin... c'est ma seule façon de démarrer la journée... Mes paupières se relèvent lorsque le café tombe dans ma tasse. Dix ou douze tasses et je peux commencer ma journée.

Café. Seulement le brasser.

© 1987 PAWS, INC. All Rights Reserved.
MAINTENANT, VOILÀ UN BON CAFÉ.
JIM DAVIS 12-1

Café : Les câbles de démarrage de Mère nature

Goûtez l'arôme. Sentez l'arôme. Soyez l'arôme.

Prenez la vie une tasse à la fois.

N'OUBLIEZ PAS D'ARRÊTER POUR SENTIR LES ARÔMES LE LONG DE LA ROUTE

JIM DAVIS 3-26
SECOUE-MOI !
WHAM!
© 1996 PAWS, INC./Distributed by Universal Press Syndicate
QUELQUE CHOSE ME DIT QUE CE N'EST PAS TA PREMIÈRE TASSE AUJOURD'HUI.

GARFIELD À PROPOS DES ORDINATEURS

Fondamentalement, je suis plutôt ignorant en ce qui touche la technique. Mon intérêt (et mon énergie) ne va pas tellement plus loin que le contrôle à distance du téléviseur. (J'aimerais bien qu'ils inventent un contrôle à distance pour tout).

Quand il est question des ordinateurs, je suis ambivalent : ils m'éblouissent et me claquent. Je peux commander une pizza en ligne et envoyer par courriel ma liste de cadeaux au Père Noël; vous devez aimer cela. Mais les ordinateurs tombent toujours en panne, font de l'espionnage à votre sujet, répandent des virus et, généralement, vous rendent fous ! Par ailleurs, je préfère ne pas tripoter une souris quelle qu'en soit la sorte.

CALCULE CELA !

Bien sûr, j'ai mon propre site Web (tout le monde n'en a pas un ?). Mais en ce qui me concerne, vous prenez les puces du Pentium; moi je garde les miennes. (Et je vais faire une sieste.) Je m'intéresserai à un programme lorsqu'il viendra avec un ordinateur qui préparera mes repas.

Décidément, je préférerais les combattre plutôt que me laisser battre.

Cher Père Noël, Je vous écris pour mon chat, Garfield, qui a été gentil la plupart du temps cette année.
VLAN!
©1999 PAWS, INC. All Rights Reserved.
EFFACER
EFFACER
EFFACER
...gentil toute l'année.
VLAN!
EFFACER
EFFACER
EFFACER
TIC
TIC
TIC
TIC
TIC
JIM DAVIS 12-12
UN SAINT !
OH, S'IL TE PLAÎT
C'EST PAS MAUVAIS D'AMÉLIORER VOTRE CV

AS-TU FAIT REDÉMARRER TON ORDINATEUR AUJOURD'HUI ?

JE NAVIGUE, DONC JE SUIS LESSIVÉ.

DÉSOLÉ, JE NE FAIS PAS LES FENÊTRES.

J'AIME MON ORDINATEUR. C'EST UN EXCELLENT PRESSE-PAPIER.

J'AIME MON ORDINATEUR, MAIS MON ORDINATEUR ME DÉTESTE.

J'AI UN DISQUE DUR DE CENT GB ET SIX NUMÉROS DE TÉLÉPHONE DESSUS.

À L'AIDE ! JE TÉLÉCHARGE MAIS JE NE PEUX PLUS ME RECHARGER !

SLUSHIE

GARFIELD À PROPOS DES DÉPANNEURS

Un endroit bien éclairé plein à craquer de mille et une collations, ouvert 24 heures sur 24. Vous pouvez bien appeler cela un dépanneur; moi j'appelle cela le paradis.

À minuit, vous avez une envie terrible de manger un sous-marin de un pied de long ? Pas de problème ! Vous avez une envie irrésistible d'une couenne de porc épicée et d'un burrito à réchauffer au four à micro-ondes à 3 heures du matin ? Vous serez comblés. Et que dire de ces sloches, nectar glacé des dieux ? (Attention à ne pas geler votre cerveau !)

Souvent les employés des dépanneurs ressemblent à d'ex-prisonniers qui vous regardent de travers avec le café et les Twinkies; certains des « clients » qui circulent aux petites heures du matin peuvent paraître un peu étranges (dites-vous tueurs en série ?) mais c'est payer peu cher pour avoir accès à la malbouffe qui peut vous nourrir 24 heures sur 24, 7 jours sur 7.

BARBOTTINE
AU
THON

GARFIELD À PROPOS DE LA MUSIQUE COUNTRY

Qu'arrive-t-il lorsque votre femme vous abandonne, que votre chien se sauve et que votre camionnette rend l'âme ? Si vous êtes une personne normale, vous allez en thérapie. Si vous êtes du Texas, vous écrivez une chanson.

DU ROUGE À LÈVRES SUR VOTRE COLLIER À PUCES, VOUS AVEZ L'IDÉE DE TRICHER

La musique country fait penser à des personnes qui travaillent fort, jouent dur et s'habillent curieusement (pourquoi ces bottes pointues et ces chapeaux à large bord ?). C'est aussi américain qu'une mère, que la tarte aux pommes et les terrains de camping.

Je pourrais même écrire quelques chansons moi-même. Que diriez-vous de « En cherchant une place pour le lunch » (dans tous les mauvais endroits), « Odie de Muskogee », « Maman ne laisse pas tes petits chatons devenir grands pour devenir des lutteurs professionnels » ou peut-être « Je rote autant au Texas qu'au Tennessee. » Yee- Youppi !

J'AI LE LOOK...
J'AI LA GUITARE...
JE SUIS JON ARBUCKLE, LE COWBOY CHANTANT !
© 1994 PAWS, INC. All Rights Reserved.
JE SUIS ASSIS SUR MES ÉPERONS, MAMA
D'ABORD, NOUS ACCROCHONS SA GUITARE ET NOUS LE LAISSONS REGARDER.
JIM DAVIS 11-23

GARFIELD À PROPOS DES RENCONTRES

Le moment d'une rencontre n'est jamais facile, mais c'est particulièrement très difficile pour Jon, mon malheureux maître. Lorsqu'il n'est pas rejeté, il s'accroche aux femmes les plus étranges du monde. Voyez un peu… Il y a eu Kimmy, qui avait été élevée par les loups; Loretta Gnish avait un troisième nombril; Big Bertha faisait paraître petite la grosse femme du cirque; et bien sûr, qui pourrait oublier Cindy Drovitz, la top modèle du Barbershop Digest. (Elle était affublée d'une grosse moustache !)

TRAVAIL
EN ÉCHANGE
DE RENCONTRE

En ce qui concerne les rencontres désastreuses, Jon les a toutes connues. Une fois, il a rasé accidentellement la moitié de sa tête, a accroché son veston sur la portière de l'auto, mis le feu à sa cravate et jeté par accident ses lentilles de contact dans les toilettes – tout cela la même journée ! Ensuite, il y a eu la fois où sa rencontre surprise s'est endormie en l'écoutant raconter ses anecdotes sur la ferme; elle s'est presque noyée dans sa soupe.

Mais l'espoir quasi éternel est toujours présent chez ce Casanova paumé. Tant qu'il peut composer un numéro de téléphone, il continue à demander aux femmes de sortir avec lui. Qui sait ? Peut-être qu'un jour Jon sera chanceux… Ouais ! Peut-être qu'un jour Ralph Nader deviendra président.

RIEN À FAIRE, GARFIELD. J'AI INTERPELLÉ TOUTES LES FILLES SUR LA PLAGE.
JIM DAVIS 7-17
© 1997 PAWS, INC. All Rights Reserved.
ELLES ONT TOUTES DIT NON.
MÊME CELLE AVEC LE DOS POILU ?
MÊME CELLE AVEC LE DOS POILU !

LES RENCONTRES DE JON LES PLUS EFFRAYANTES

Daddy's Girl

Annie Axelrod, mécanicienne Harley

Gertie, Greta,
et Bob, les triplets siamois

Suki, la danseuse du ventre sumo

TU M'EN DOIS TOUTE UNE, ARBUCKLE !

Garfield

GARFIELD À PROPOS DES DICTIONNAIRES

Selon le dictionnaire, le mot « dictionnaire » signifie « livre de référence présentant généralement les mots par ordre alphabétique selon leur forme, prononciation, fonctions, étymologie, significations et utilisations syntaxiques et idiomatiques ». Quoi dire ? Les dictionnaires sont ennuyants et décourageants - comme le mot « décourageant ».

Selon moi, le dictionnaire fait vivre les mots. Gros, mots gargantuesques et petits, mots lilliputiens; ennuyants, mots bourratifs, de mauvais goût et exagérés. Ils vivent tous ensemble en parfaite harmonie alphabétique. Moi, j'aime ce qui est étrange, dingue, fantasque (gésier, goitre, floraison, musette). Fabuleux, grossier, super balle de fourrure que je suis, j'aime jouer avec les mots à tous les niveaux! Voilà, c'est dit!

J'aime également donner aux mots plus mondains ma propre définition loufoque. Voyez, je les ai même écrites, vous n'aurez donc pas à les chercher.

TU M'IRRITES
JIM DAVIS 8-10
© 2000 PAWS, INC./Distributed by Universal Press Syndicate
DICTIONNAIRE
MERCI

VOILÀ
10-22
PUCE : n.f. Parasite sans ailes suçant le sang.
Voir aussi : beau-frère
© 1980 PAWS, INC. All Rights Reserved.
JIM DAVIS

DÉFINITIONS LOUFOQUES

DICTIONNAIRE

Animal domestique : Animal qui donne de l'amour et est un bon compagnon en échange d'une obéissance aveugle et de douze carrés de nourriture par jour.

Araignée : Insecte qui a huit pattes et des crochets venimeux; généralement inoffensif, sauf s'il attaque mon ordinateur.

Arbuckle : Du Latin arbuculus, « saucisse - poitrine - dysfonctionnement érectile »; débile; un pauvre bollé; un pauvre bollé débile; vous avez la photo.

Calories : Bouchée goûteuse d'un aliment. En prendre des milliers, elles sont petites.

Chat : Animal de persuasion féline très intelligent et attirant; animal domestique possédant la nature la plus parfaite.

Chaton : Petit animal câlin utilisé pour tromper les gens qui magasinent des chats.

Chien : Idiot, puce magnétique à quatre pattes dont l'haleine pourrait assommer un orignal.

Chocolat : Substance sucrée et engraissante; un des quatre groupes alimentaires.

Demain : Le meilleur moment pour entreprendre une chose inintéressante, comme les travaux domestiques ou une diète.

Devoir : Punition inhabituelle et cruelle; plus facile devant le téléviseur.

Diète : Programme alimentaire qui élimine l'excès de gras et votre volonté de vivre.

École : Institution créée pour former votre cerveau, en autant qu'on puisse le trouver.

Exercice : Activité complètement inutile, comme le jogging ou le patin à roues alignées.

Frère : Peste domestique commune; synonyme de « ennuyant ».

Frites : Tranches fines de pommes de terre cuites dans l'huile chaude; meilleures lorsque mangées ou reniflées.

Gras : Surpoids; obésité; gros comme le Père Noël; en d'autres mots, c'est correct.

Griffe : Meilleur ami du chat. Le pire cauchemar des draperies.

Halloween : Célébration celtique ancienne de la mort qui a évolué assez sagement en une excuse pour manger des bonbons jusqu'à ce que vous explosiez.

Lasagne : Type d'aliment le plus parfait.

Lit : Meuble créé pour la plus excitante de toutes les activités : dormir.

Manger : À faire entre deux siestes.

Matin : Fin d'une bonne nuit; pourrait être bien mieux s'il débutait plus tard.

Nermal : Bientôt en voie d'extinction, le plus adorable chaton du monde.

Noël : Congé de décembre qui incite l'esprit à recevoir; a également quelques significations religieuses.

Odie : Type de chien ou fungus (champignon, moisissure); difficile à dire.

Oiseau : Collation à plumes volante pour chat.

Parent : Adulte gardien d'enfants; pas facile à comprendre, mais fournit au moins des collations et le téléviseur.

Paresseux : Indolent, fainéant, même abruti.

Party : Genre de réunion où le plaisir est garanti par la constitution; voir également soirée, boum, débauche.

Pizza : Plante délicieuse constituée de tomates et de fromage que les scientifiques ont réussi à faire croître dans des boîtes de carton minces. C'est vrai !

Pooky : Ourson en peluche pour le « dodo » qui ne dit jamais un mot méchant… ou autre chose du genre.

Postier : Personne qui livre le courrier; consulter également poteau à égratigner.

Professeur : Personne qui instruit; disponible en de multiples versions : « bon », « mauvais », « pourri ».

Rêve : Fantasme, comme une lasagne sans calories, ou une femme qui pense que Jon est sympathique.

Réveil-matin : Appareil pour réveiller les gens qui n'ont pas d'enfants ou d'animaux.

Ronflement : Respiration profonde et irritante d'un dormeur; remédiable facilement grâce à une paire de cymbales.

Sœur : Femme ennuyante que l'on retrouve habituellement dans la salle de bain.

Sommeil : État d'inconscience mieux vécu sur une très longue période; un exercice parfait.

Souris : Rongeur duveteux, infesté de germes, lèche-fromage. Est-ce adéquat dans une cuisine de chat ? Je ne le crois pas.

Téléphone : Appareil de communication accroché de façon permanente aux oreilles des adolescents.

Téléviseur : Appareil qui reçoit des signaux vidéo intelligents; ne grandissez pas sans cela.

Vétérinaire : Médecin qui traite les animaux, qu'il les aime ou pas; synonyme de « aiguilles aussi longues que vos bras ».

GARFIELD À PROPOS DES DIÈTES

Le dictionnaire la définit comme « un choix limité ou spécial d'aliments ou de boissons choisis ou prescrits pour favoriser la santé et la perte de poids ». J'appelle cela une punition cruelle et anormale.

La liste de ces tortures gastronomiques est apparemment sans fin : diète faible en gras ou sans gras; diète aux pamplemousses; diète Hollywood de 48 heures; diète à la soupe au chou; diète réduite en sucre; diète aux protéines; Weight Watchers, Atkins et encore toutes les autres.

Je me mets à la diète sous la menace (et seulement lorsque le vétérinaire m'y contraint). Quand il s'agit de réduire mes portions, ce ne sont pas les douleurs de la faim qui m'ennuient ou les hallucinations (un beigne glacé ne vous a-t-il jamais séduit ?); en fait, lorsque je suis à la diète, la première chose que je perds est mon sens de l'humour.

PAS DE COLLATION POUR TOI GARFIELD
BIEN
JIM DAVIS 10.3
TU ES SUR UNE DIÈTE SÉVÈRE
PEU IMPORTE CE QUE TU DIS
© 2001 PAWS, INC. All Rights Reserved.
J'AI BOUCHÉ LE TUNNEL MENANT AU RÉFRIGÉRATEUR
MA VIE EST FINIE

JE SUIS À LA DIÈTE SEULEMENT ENTRE LES REPAS.

IL Y A TROP PEU DE BONNES CHOSES DANS UNE DIÈTE.

TOUT GOÛTE BON LORSQUE JE SUIS À LA DIÈTE.

GARFIEL

LA DIÈTE EST MORTE, VIVE LA DIÈTE !

GARFIELD À PROPOS DES RESTAURANTS

Lorsqu'il s'agit de restaurants, rien de mieux qu'un restaurant de quartier. Oubliez ces lieux de restauration pleins de chichis et dispendieux; donnez-moi une bonne gargote n'importe quand.

Les bons restaurants sont un problème avec leurs maîtres d'hôtel prétentieux et toutes ces fourchettes alignées toujours aussi soigneusement. En plus, je ne dîne pas. Je suis attaché à une musette ou un sac de nourriture! Il n'y a pas de meilleur endroit pour bouffer qu'un restaurant de quartier.

Les restaurants de quartier puent l'ambiance; mais là, il ne s'agit que de ce qui est appelé atmosphère. J'aime particulièrement les endroits avec un comptoir et des tabourets brillants avec du Formica et du chrome et un gobelet sans fond de café servi par une serveuse qui mâche de la gomme; je suis dans une gargote paradisiaque.

Au fil des ans, Jon et moi avons connu plusieurs expériences mémorables au restaurant Irma. Oh, bien sûr, nous avons connu des moments répugnants - un faux cil dans les frites, un ongle dans mon hamburger - mais ce n'est là qu'une petite partie de ce qui fait son charme.

COMMENT EST VOTRE POULET AUJOURD'HUI ?
LE PAUVRE, IL A UN RHUME
AT-CHOUM!
RETENEZ LE POULET
MENU
IRMA

VOICI LE MENU, MON BEAU
J'AIME CES PETITS RESTOS
JIM DAVIS 5-28
© 2001 PAWS, INC. All Rights Reserved.
OOOH, J'AI DÉJÀ DES BRÛLURES D'ESTOMAC
JE SUIS AU PARADIS DE LA GRANDE FRITURE

EST-CE QUE LE PAIN DE VIANDE EST BON ?
VOUS L'AIMEREZ. C'EST LA RECETTE DE LA MÈRE DU CHEF. DIEU AIT SON ÂME !
© 1999 PAWS, INC./Distributed by Universal Press Syndicate
JE ME DEMANDE COMMENT ELLE EST MORTE ?
LE PAIN DE VIANDE EST PRÊT !
JIM DAVIS 10-7
JE PARIE QU'ELLE S'EST ÉTOUFFÉE AVEC UN OS.

JIM DAVIS 3-6
VOUS ÊTES-VOUS DÉJÀ ASSIS ENSEMBLE SUR UNE BANQUETTE ?
OH NON ! JAMAIS !
POURQUOI PAS?
© 2002 PAWS, INC. All Rights Reserved.
TOURNE TOURNE TOURNE

GARFIELD À PROPOS DES DINOSAURES

Qu'est-ce qui a exterminé les dinosaures? Serait-ce une comète géante qui se serait écrasée sur la terre, balayant instantanément des millions de créatures ? Serait-ce l'Ère glaciaire qui aurait changé lentement l'environnement et gelé les créatures géantes ? Ou est-ce dû à un style de vie sédentaire, jumelé à une diète composée d'aliments gras et de cigarettes, qui les aurait ultimement tués?

Je ne suis pas anthropologue, mais j'ai ma propre théorie. Je pense que les dinosaures sont disparus à cause de Og, l'homme des cavernes. Selon les peintures retrouvées dans les cavernes que j'ai vues, Og était un entrepreneur préhistorique qui a démarré la première chaîne de restauration rapide des cavernes. Au menu ? Burgers Dino, côtes de bœuf Bronto et poitrine de Ptérodactyle. Parlez-moi d'un super repas de grande valeur!

GARFIELD À PROPOS DU DISCO

Il y a une partie de moi qui a un faible pour me brancher disco - après tout, je suis né durant son apogée dans les années 1970.

À la fin des années 1980, on disait que le disco était mort, mais cette musique trémoussante refuse de mourir. Alors, qu'est-ce qui fait que les gens continuent à vouloir du boogie oogie oogie ? Ce ne peut être les paroles hautement significatives des chansons (*That's the way* - uh-huh, uh-huh - *I like it* - ou les modes électrisantes (chemises ouvertes jusqu'au nombril, les médaillons en or, les souliers plate-forme). On doit suivre le rythme. Le rythme écrasant, groove, boogie. Il entraîne des personnes parfaitement saines d'esprit à faire des steppettes sur un plancher de danse et à faire des Arbuckle d'elles-mêmes. (Avez-vous déjà vu Jon se trémousser?)

LA FIÈVRE FÉLINE
DU
SAMEDI SOIR
POLYESTER PICTURES PRÉSENTE FÉLINS DU SAMEDI SOIR. UN FILM GARFIELD METTANT EN VEDETTE GARFIELD ET UN GROUPE D'ACTEURS DONT VOUS N'AVEZ JAMAIS ENTENDU PARLER. DIRECTEUR DE LA PHOTOGRAPHIE : GARFIELD - MUSIQUE : GARFIELD - CHEF DE PRODUCTION : GARFIELD - SUPRÊME PRODUCTEUR CONNAISSANT TOUT : GARFIELD - ÉCRITURE : GARFIELD - CHORÉGRAPHIE : GARFIELD - NOURRITURE : GARFIELD PRODUCTION ET DIRECTION : DEVINEZ QUI? - UNE GROSSE PRODUCTION POILUE

GARFIELD À PROPOS DES CHIENS

Que puis-je dire au sujet de l'espèce canine? Que dire au sujet de la vie d'un bol de cerises et des chiens qui en sont les noyaux? Que dire d'une haleine de chien sinon que c'est pire qu'une morsure. Ou peut-être ceci : les chiens sont un sous-produit animal de la saucisse Francfort pour la vie.

Pourquoi je sous-estime autant ces puces de ferme à quatre pattes ? Peut-être parce qu'elles représentent 90 % de la production mondiale de bave; la seule ruse que les chiens connaissent est un « jeu stupide ». Quelle contribution positive apportent ces gobeurs d'eau de toilette à la société? Rapporter un bâton n'est pas exactement un accomplissement qui vaut le Prix Nobel.

Quant à moi, je considère que le seul bon chien est un chien chaud.

JIM DAVIS 10-26
© 1999 PAWS, INC./Distributed by Universal Press Syndicate
DONNE-MOI LE SIFFLET À CHIEN.
QU'EST-CE QU'UN SIFFLET À CHIEN ?

WOUF WOUF WOUF WOUF
M'ÉCOUTES-TU ENCORE ?
OUI, JE T'ÉCOUTE
© 2003 PAWS, INC. All Rights Reserved.
TU DISAIS QUELQUE CHOSE AU SUJET DES MAUVAISES ODEURS, DES PUCES ET DE LA LAIDEUR.
JIM DAVIS 11-11

Le chien est le meilleur ami de l'homme

LÈCHE-BOTTES

Les chiens aiment l'exercice

RIEN DE MIEUX QUE COURIR APRÈS SA QUEUE POUR DU BON CARDIO !

Les chiens font de bons animaux domestiques

CHAQUE CHAT DEVRAIT EN AVOIR UN
ARF!

GARFIELD À PROPOS DES BEIGNES

Les oiseaux du matin peuvent avoir des vers, mais les chats lève-tôt peuvent avoir des beignes fourrés à la gelée. Oubliez les fleurs; dans la vie, je pense qu'il est important de prendre le temps de s'arrêter et de sentir les beignes (et ensuite, bien sûr, de les manger).

VLAN
PLOUC!

Quand on parle de ces confiseries riches en sucre, je suis un jouisseur qui n'a pas son pareil : je les aime glacés, givrés, enrobés de chocolat, saupoudrés de sucre, fourrés à la crème, avec des pépites ou nature simplement.

Dans ma prochaine vie, j'espère revenir en policier, simplement pour pouvoir traîner à deux heures du matin dans une beignerie (je pourrais dire aussi des choses comme : « Ne bouge pas, ordure... », mais je divague).

Je vous parie que vous ne saviez pas que cette glorieuse collation est vraiment bonne pour votre santé. Vous avez un entraînement physique complet juste en trempant une douzaine de beignes dans votre café.

Je pourrais continuer, mais je vous laisse avec ceci... lorsqu'il s'agit d'un beigne, sachez que le trou, c'est son cœur.

TU AS BESOIN D'UNE DIÈTE BEAUCOUP PLUS ÉQUILIBRÉE
ÉQUILIBRÉE ?
TU VEUX DIRE PLUS D'UNE SORTE DE BEIGNES ?
© 1999 PAWS, INC./Distributed by Universal Press Syndicate
www.garfield.com
JIM DAVIS 7-24

GARFIELD À PROPOS DE L'ÉCOLOGIE

Je suis peut-être un chat orange, mais je suis jeune de cœur. Je crois en l'écologie, c'est pourquoi je délaisse les salades. Le vert est une belle couleur pour les arbres, le gazon et les aliments périmés.

J'adore les arbres, principalement avec un hamac tendu entre eux. Je suis un fervent loyal de la conservation de l'énergie, c'est pourquoi je fais souvent des siestes. En fait, je suis en faveur de l'écologie. J'ai fait pousser de la mousse sur mon versant nord. J'ai même fait pousser une forêt tropicale dans le tiroir à sous-vêtements de Jon!

SAUVEZ LES RIVIÈRES, LES FORÊTS TROPICALES ET LES RAVIOLIS

Mais, sérieusement, ce n'est pas bien de polluer Mère nature : alors, rappelez-vous... une planète propre est une planète heureuse.

AH, LA NATURE !
JIM DAVIS 11-7
AURAIS-TU OUBLIÉ DE PAYER LA FACTURE DE LA NATURE ?
© 2002 PAWS, INC. All Rights Reserved.

GARFIELD À PROPOS DE L'ÉDUCATION

Éducation : C'est ce qui nous éloigne de la stupidité. C'est le remède pour les ploucs ordinaires. C'est la meilleure chose qui peut arriver à votre tête depuis vos cheveux ! Hé, ce n'est pas une astuce, je suis sérieux. Les chats intelligents connaissent la valeur de l'éducation : sans elle, vous pourriez être comme un chien idiot, bavant durant toute sa vie.

Nous avons tous un cerveau; certains d'entre nous ne l'utilisent tout simplement pas. Ce qui est une honte, parce qu'un cerveau non utilisé « s'Odiefiera » : il sèchera, se ratatinera et des morceaux pourraient éventuellement vous tomber sur le nez ! C'est un destin pire que l'haleine d'un chien.

Alors, si vous désirez avancer dans la vie, vous devez utiliser votre tête et faire des choses intelligentes. Cela signifie que vous devez aller à l'école. Bien sûr, c'est du travail, mais ça en vaut la peine. Vous pouvez vraiment profiter de l'expérience : plus vous apprendrez, plus vous gagnerez.

Cependant, l'éducation ne vous apporte pas uniquement de l'argent. Elle vous enrichit de différentes façons, à partir des leçons que vous tirez des liens d'amitié que vous avez créés. L'éducation vous enseigne à penser (de crainte que votre cerveau ne rétrécisse) et, en fin de compte, vous transforme en quelqu'un de grande distinction !

L'ÉDUCATION. NE QUITTEZ PAS L'ÉCOLE SANS ELLE
DIPLÔME
AOK

GÉOGRAPHIE...
Sans elle, vous pourriez vous perdre

Une langue n'est plus étrangère une fois apprise
WOUF WOUF
WOUF

LES MATHS MULTIPLIENT VOS CHANCES DE SUCCÈS

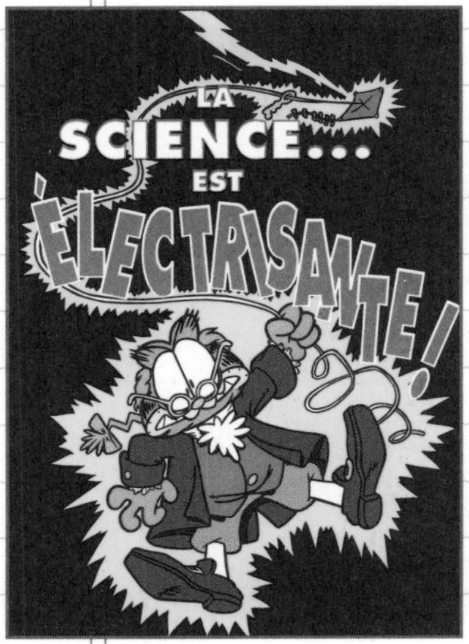
LA SCIENCE... EST ÉLECTRISANTE !

LIRE.
LE CERVEAU A AUSSI FAIM !

BIEN AGIR
BIEN ÉCRIRE

GARFIELD À PROPOS DE L'EGO

À la naissance, je pesais cinq livres et six onces - et l'ego en pesait quatre. Pendant que les autres chatons disaient « Miaou », je disais « moi d'abord ». Au fur et à mesure que je grandissais, mon ego (et, bien sûr, ma taille) grandissait aussi. En fait, on dit que c'est ce qui a affecté les orbites des planètes avoisinantes. Mais, voilà, c'est une bonne chose : un ego sain est un ego heureux.

Évidemment, j'étais destiné à devenir grand. Je veux dire, tout ce que j'avais à faire était de me regarder dans le miroir (et saluer). Pas question que Mère nature gâche le charisme d'un piégeur de souris. Je suis tellement décontracté que James Dean pourrait avoir pris des leçons de moi. Je devrais être sur des photos - j'étais en vedette dans mon propre long métrage. (Jennifer Love Hewitt ne saurait laisser ses pattes loin de moi !)

Mon secret ? Je suis en contact avec mon egomaniaque intérieur en tout temps. Comme je le dis toujours : « un petit ego ne va nulle part ». C'est pourquoi je vis en grand et j'en suis toujours responsable !

CERTAINES PERSONNES NE PARLENT QUE DE LIVRES
ET CERTAINES PERSONNES FONT QUELQUE CHOSE POUR CELA
OUI, OUI, C'EST COMME ÇA QUE JE VEUX ÊTRE PHOTOGRAPHIÉ POUR LA JAQUETTE DU LIVRE
JIM DAVIS 3-13
© 1986 PAWS, INC. All Rights Reserved.

POURQUOI VEUX-TU TOUJOURS ÊTRE LE CENTRE D'ATTENTION, GARFIELD ?
QUOI ?
C'EST LA CHOSE LA PLUS STUPIDE QUE J'AI JAMAIS ENTENDUE.
JIM DAVIS 6-20
© 1991 PAWS, INC.

J'ai l'habitude d'être parfait

maintenant

Je suis encore meilleur

J'AI OUBLIÉ DE ME RAPPELER

GARFIELD À PROPOS DES EXCUSES

Certaines personnes croient qu'il est important de travailler fort. Je crois pour ma part au fait de travailler à peine. Pourquoi vous tuer à gagner votre vie alors que faire des excuses est de loin plus facile ?

C'est vrai. Les excuses sont vos amies. Qui a besoin de stresser pour arriver à l'heure ? Lorsqu'on vous demande la raison de votre retard, dites simplement : « Je n'arrivais pas à faire démarrer mon réveil » ou « J'ai été attaqué par une armée de fourmis ».

Si votre chambre est en désordre, dites simplement : « Je suis allergique au nettoyage » ou « Faire des corvées me donne des démangeaisons ».

Vous avez une idée. Voici quelques excellentes excuses pour vous aider à expliquer pourquoi vous ne pouvez, ne devez ou ne voulez pas faire ceci ou cela, etc.!

POURQUOI J'ÉTAIS ABSENT ?
En deux mots : enlèvement par les extra-terrestres !

POURQUOI JE N'AI PAS MON DEVOIR ?...
J'ai laissé mon cerveau dans mon casier.

POURQUOI JE SUIS EN RETARD ?...
Je suis tombé dans une flaque de bave de chien.

J'AI OUBLIÉ DE ME RAPPELER

POURQUOI JE NE PEUX PAS SORTIR AVEC TOI ?...
Désolé, mais c'est ma soirée pour passer la soie dentaire au chien.

POURQUOI JE NE VEUX PAS MANGER ?...
Désolé, mais pour moi, manger cela pourrait exiger plus de ketchup que nous n'en avons à la maison.

POURQUOI CET ENDROIT EST DANS UN TEL DÉSORDRE ?...
Quand j'étais jeune, j'ai été effrayé par un aspirateur.

POURQUOI SUIS-JE TOUJOURS AU TÉLÉPHONE ?
Crois-le ou non, mais le récepteur est resté collé à ma tête !

GARFIELD À PROPOS DE L'EXERCICE

Si j'étais président, j'abolirais l'exercice et je conserverais notre approvisionnement national en transpiration ! Hé, l'exercice n'aide pas à transpirer davantage. Je veux dire, si nous étions faits pour transpirer, nous serions nés avec des bandes aux poignets.

Considérons ceci : exercice égale douleur. Si l'exercice physique est tellement sain, pourquoi fait-il aussi mal ? Je pense que les gens qui désirent « sentir une brûlure » sont masochistes ou qu'ils se détruisent eux-mêmes. En ce qui me concerne, peu importe le jour, l'embonpoint prend le dessus sur l'exercice physique.

Cependant, personnellement, je considère que je suis en forme. En fait, j'ai une forme classique. (« Rond » est classique, n'est-ce pas ?) Ce n'est pas comme si je ne faisais pas d'exercice. Seulement, j'aime mieux faire une sieste plutôt que des redressements assis. Je préfère également la lever du jarret d'agneau, zapper d'une chaîne à l'autre et étirer régulièrement la vérité. Mais, en autant que cela me concerne, mâcher représente l'exercice parfait !

OK, CAMPEURS, C'EST LE TEMPS DE FAIRE DE L'EXERCICE ! COMMENÇONS PAR QUELQUES ÉTIREMENTS DE JAMBES. PRÊTS ? COMMENÇONS !
ETTTT UN ET ...
CLIC
DEUX
© 1989 PAWS, INC. All Rights Reserved.

Je pense que je suis prêt pour des brioches à la guimauve.

Un déjeuner équilibré : partie importante de tout programme d'exercice.

L'exercice est un de mes sports favoris, en tant que spectateur!

L'entraînement n'est pas seulement de l'entraînement.

GARFIELD À PROPOS DE LA FERME

Aussi souvent que possible, Jon, mon maître stupide, fait nos bagages et nous emmène à la campagne visiter la ferme familiale. J'en profite... autant que je profite d'une diète.

Étant un chaton de la ville, je trouve les fermes aussi ennuyantes que le fumier. Oh, c'est sûr, j'aime faire certaines choses à la ferme Arbuckle : arroser les cochons, moissonner le réfrigérateur, fertiliser les salopettes de Doc Boy. J'aime toujours « battre le foin ». Mais la chose que je préfère : partir !

TU NE T'ENNUIES PAS UN PEU ICI, À LA FERME, DOC BOY ?
NON, JAMAIS
JIM DAVIS 1-17
© 1990 PAWS, INC. All Rights Reserved.
SILENCE NOUS MANQUONS LE SPECTACLE.
LES BAS ROUGES PRENNENT DE L'AVANCE !

NOUS NE POUVONS PAS NOUS OFFRIR DES MÉDECINS À LA FERME.
JIM DAVIS 8-15
NOUS NOUS FIONS AUX REMÈDES NATURELS.
© 2001 PAWS, INC. All Rights Reserved.
SAVAIS-TU QU'EMBRASSER UN POULET SOIGNE LE RHUME?
ÉLOIGNE-TOI DE MOI

GARFIELD À PROPOS DE LA MODE

Les vêtements sont à l'image de l'homme. Mais parfois ils le font paraître stupide. Vous rappelez-vous Boy George ? Liberace ? Un gars que vous avez vu dans un kilt ?

Mais ne faisons pas de discrimination : les femmes peuvent aussi projeter la même image désastreuse avec leurs vêtements à la mode. Cher ressemble au hall d'un temple pour chanteurs. Paris Hilton (lorsqu'elle porte des vêtements!) est une garde-robe ambulante dysfonctionnelle. Qui peut oublier le tutu bizarre de Bjork aux Oscars ? Quelle était l'idée ? Bien sûr, je suis un peu vulgaire mais, hé, je suis un chat !

Pourtant je devrais le savoir qu'une mode dérape quand je la vois. Après tout, je vis avec Jon « Urkel » Arbuckle. Un modèle de tenue vestimentaire splendide, n'est-ce pas ? La police de la mode a en main un avis de recherche pour certaines de ses tenues vestimentaires.

Au fait, qu'est-ce que la haute couture... la chose parfaite à porter ? Personnellement, je préfère la fourrure - mais, s'il vous plaît, seulement pour nous les animaux. C'est classique et les vêtements classiques ont toujours du style. Pour les autres comme vous qui pourriez être des fanatiques de la mode, je vous suggère de porter quelque chose dont la base est orange et noire. Hé, cela a toujours fonctionné pour moi!

QUE PORTE LE CHAT BIEN HABILLÉ ?

LA LONGUEUR THÉ	SANS ÉPAULES	MINI	DOS DÉCOLLETÉ

GARFIELD À PROPOS DE L'EMBONPOINT

Je vis ma vie sur la ligne grasse car l'embonpoint se vit là où ça se passe. Évidemment, je ne parle pas comme si une grue était nécessaire pour soulever votre carcasse à l'extérieur de la maison. Vous pouvez encore marcher - ou au moins vous dandiner. Mais Sumo est bon premier : ces gars corpulents sont toujours des athlètes. Rappelez-vous le joueur de football William « le réfrigérateur » Perry ? Ces gars prouvent que les gros pleins de soupe peuvent être des héros nationaux.

Quelques-uns de mes modèles de patapoufs corpulents sont le Roi Henri VIII et Orson Welles. Personne ne peut disposer d'une baguette (ou d'une femme) comme Sa Grassouillette Majesté. Orson était une figure énorme dans le monde du cinéma (et des brioches à la cannelle). Oh, n'oublions pas Saint Nicolas : Le Père Noël ne pourrait être le même sans sa bedaine.

Par-dessus tout, je préfère Aunt Bee à Ally McBeal. (Qu'est-ce que Popeye voit en Olive Oyl ?) Et que dire de ces modèles décharnés à la mode? Ces brindilles ont besoin de mon aide. Hé, qui mieux que moi peut être un gourou de l'embonpoint ?

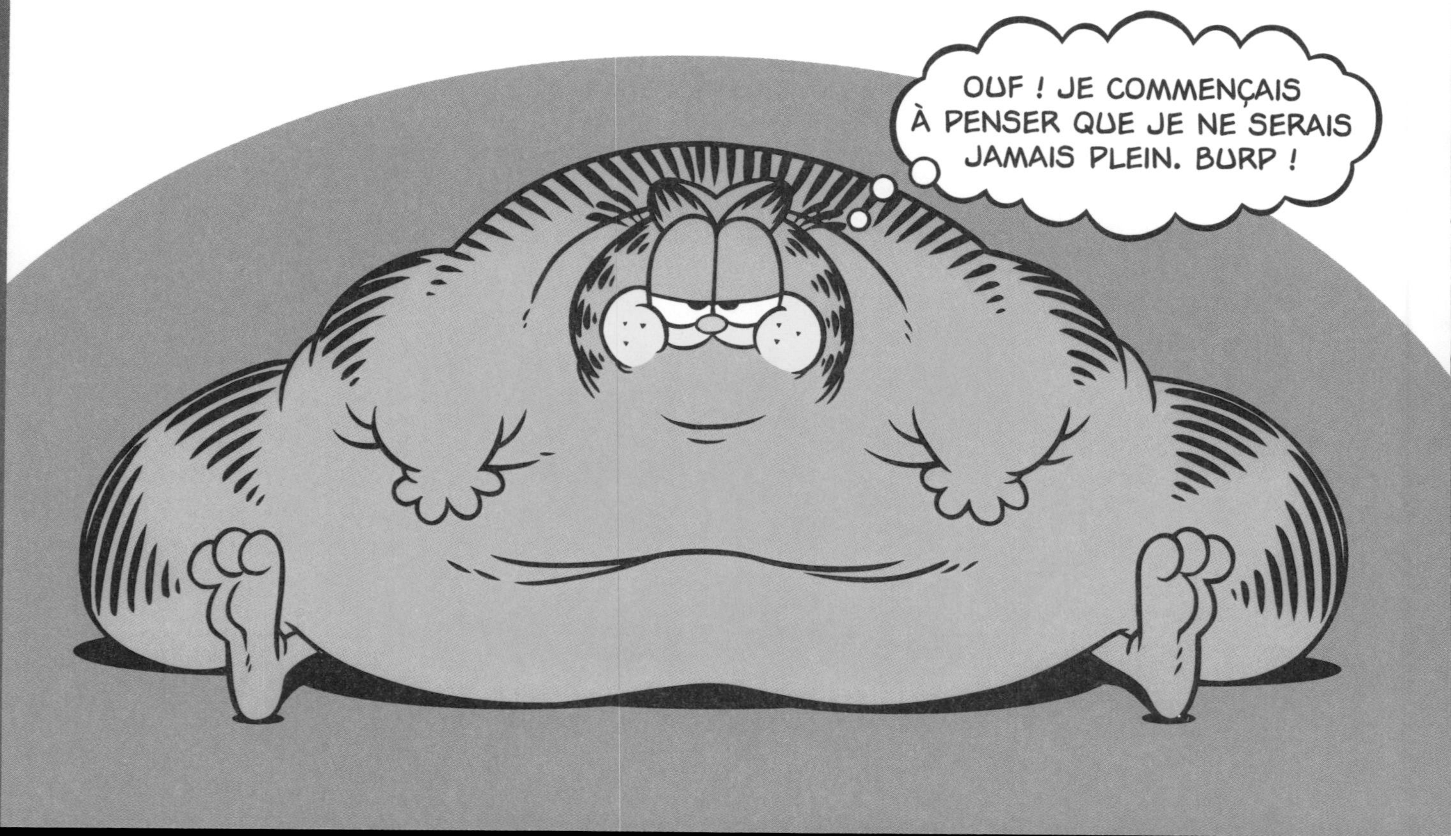
OUF ! JE COMMENÇAIS À PENSER QUE JE NE SERAIS JAMAIS PLEIN. BURP !

VOUS SAVEZ QUE VOUS DEVENEZ GROS QUAND...

QUELQU'UN ESSAIE DE GRIMPER SUR VOTRE VERSANT NORD.

LA NASA MET EN ORBITE UN SATELLITE AUTOUR DE VOUS.

VOUS SENTEZ UNE IMMENSE URGENCE DE PICORER.

ATTENTION !
GLOUTON ITINÉRANT

VOTRE PHOTO EST AFFICHÉE DANS LES RESTAURANTS AVEC BUFFET À VOLONTÉ

GARFIELD À PROPOS DU PATINAGE ARTISTIQUE

Des imbéciles caracolent en tournant en rond sur la glace au son de la musique classique. Comment ceci est-il devenu un sport? Ok, ce n'est pas aussi ennuyant que le ballet, mais ce n'est définitivement pas quelque chose à voir obligatoirement à la télévision. Peut-être que s'ils libéraient un ours polaire ou un léopard des neiges dans l'arène ou s'ils laissaient les spectateurs essayer de frapper les patineurs avec des boules de neige, le patinage artistique serait un peu plus intéressant.

LES ACCESSOIRES DE CET ENSEMBLE SONT SIMPLEMENT CRIARDS.

J'admets que je ne connais presque rien sur les mouvements concrets du patinage : double axe, triple lutz, triple boucle piqué - je ne vois pas la différence. Cependant, je connais un mouvement et c'est mon favori : je l'appelle le triple brise-tout. C'est lorsqu'un patineur tombe sur les fesses trois fois durant un numéro.

GARFIELD, LIZ VA ÊTRE PAS MAL IMPRESSIONNÉE
SURVEILLE VIEUX JON AVEC SES PATINS MAGIQUE
MON HÉROS !
© 1989 PAWS, INC. All Rights Reserved.

GARFIELD À PROPOS DE LA PÊCHE

MIAM... SUSHI !

Ce « sport » allie mes deux activités favorites : ne pas bouger pendant des heures et manger. Même si le poisson ne mord pas, moi, je mords. Je m'assure que Jon apporte plein de collations. Il n'est pas vraiment un bon pêcheur, mais il a attrapé quelques bonnes prises dans ses meilleurs moments : une roue de secours, une vieille botte et, bien sûr, lui-même.

Il existe différents types de pêche : pêche en eau douce, en eau salée, en haute mer. J'aime particulièrement la pêche intérieure en eau douce. Vous n'avez jamais entendu parlé de cela ? On n'a pas besoin d'appât, d'hameçon ou de canne à pêche. Tout ce dont vous avez besoin : un aquarium, un poisson rouge savoureux et un maître facilement distrait.

JIM DAVIS 2-18
JE VAIS REVENIR
© 2002 PAWS, INC. All Rights Reserved.
OK, QUI A MIS UN QUARTIER DE CITRON DANS L'AQUARIUM ?

ES-TU PRÊT POUR ALLER PÊCHER, GARFIELD ?
JIM DAVIS 6-3
© 1996 PAWS, INC. All Rights Reserved.
J'AI TOUT
FARINE DE MAÏS, BEURRE, ŒUFS, SAUCE TARTARE, BRIOCHES, FRITEUSE ET UNE RALLONGE ÉLECTRIQUE DE 300 KM !

GARFIELD
À PROPOS DE
LA NOURRITURE

Nourriture, gloire à la nourriture! C'est pour moi une raison de vivre (à part une merveilleuse sieste). Je parle ici au nom de mon estomac.

Hé, selon moi, les meilleures choses de la vie sont comestibles. L'idée d'une simple lasagne avec une sauce au fromage onctueuse m'envoie au septième ciel ! Oh, et une plaque de biscuits chauds aux brisures de chocolat frais sortis du four - ils en font voir de toutes les couleurs à mes papilles gustatives!

BISCUITS

J'ai toujours envie de nourriture : friture, repas minute... tout ça en plus de la nourriture saine. J'ai envie d'une bonne qualité en grande quantité : un estomac plein est un estomac heureux! Bien sûr, tous les aliments que j'ingère me collent à la taille - mais, OK, je préfère être heureux plutôt que mince.

BIEN MANGER C'EST FACILE
GARFIELD
© 1992 PAWS, INC. All Rights Reserved.
CHAQUE JOUR JE MANGE DES ALIMENTS DES QUATRE GROUPES ALIMENTAIRES
GARFIELD
JIM DAVIS 3-14
DÉJEUNER, DÎNER, SOUPER ET COLLATIONS
GARFIELD

Lasagne…
aliment naturel parfait.

GARFIELD

Un bon repas en
mérite un autre.

Trop de nourriture
n'est jamais suffisant.

GARFI

La vie est courte.
Mangez maintenant.

GARFIELD À PROPOS DES AMIS

Autrefois, les Beatles chantaient : « J'arrive à m'en sortir avec un peu d'aide de mes amis. » Je préfère obtenir une tarte avec un peu d'aide de moi-même.

Nous avons tous besoin d'amis (et pas seulement des émissions à la télé !) Sans amis, avec qui partagerions-nous nos espoirs, nos rêves et le maïs soufflé ? Bien que mes meilleurs amis seront toujours moi, moi-même et encore moi, je continue à me coller contre mes chaleureux Jon et Odie. Jon garde mon bol de nourriture plein et paie la facture du câble; Odie obéit à tous mes ordres et fait une bonne planche à griffes. Qu'est-ce qu'un chat peut demander de plus ?

Bien que nous avons tous nos hauts et nos bas (qui ne se dispute pas occasionnellement ?), je ne changerais mes amis pour rien au monde... même si, je l'admets, je peux être momentanément séduit par un écran plasma de téléviseur de 60 pouces et un approvisionnement à vie de cheeseburgers au bacon.

SOUPIR...
JE N'AI PAS D'AMIS
HÉ, L'AMI
ZIP
RÊVE EN COULEUR
© 2002 PAWS, INC. All Rights Reserved.
JIM DAVIS 11-27

GARFIELD À PROPOS DES GANGSTERS

Al Capone, Bonnie and Clyde, Don Corleone, Tony Soprano... Qu'ils soient réels ou fictifs, les gangsters sont des personnages fascinants. Ces « parrains » - et vraiment des personnes très mauvaises - ont été romancés et immortalisés, particulièrement dans les films (et même les pizzerias !).

Ces Robin des bois ont une emprise étrange sur la conscience des Nord-Américains et une place spéciale dans leur cœur. Est-ce dû à notre amour pour la violence ? Est-ce parce que les gangsters osent enfreindre les lois et les règles sociales ? Ou peut-être le font-ils avec un certain style - la fanfaronnade des pirates à rayures fines ? Personnellement, je ne sais pas, ça m'importe peu : je veux seulement me détendre et profiter des feux de l'action ou d'artifice.

Évidemment, je suis trop gentil pour être un vrai gangster. En plus, je suis bien trop en désordre pour faire partie du crime organisé. Mais je suis un gros malin de nature, je possède une langue bien pendue et un esprit de tueur. C'est amusant d'imaginer ce que ce serait si j'avais ma propre pègre. Naturellement, je serais le patron : appelez-moi simplement « Don Lasagna » (alias : Le « Gardparrain »). Actuellement, il me manque quelques acolytes...

GARFIELD À PROPOS DES VIEUX

J'ai l'habitude de me moquer des personnes âgées. Je continue à le faire, mais maintenant, avec ce que j'ai vu autour de moi pendant un quart de siècle (en années chien, je serais mort !), mon humour est devenu occasionnellement une sorte d'auto-dévalorisation. Mais ne vous méprenez pas - je ne suis pas vieux... Je suis juste un vieux schnock « vieillissant ». Je peux continuer à vibrer. Mais je ne peux tout simplement pas arrêter le temps !

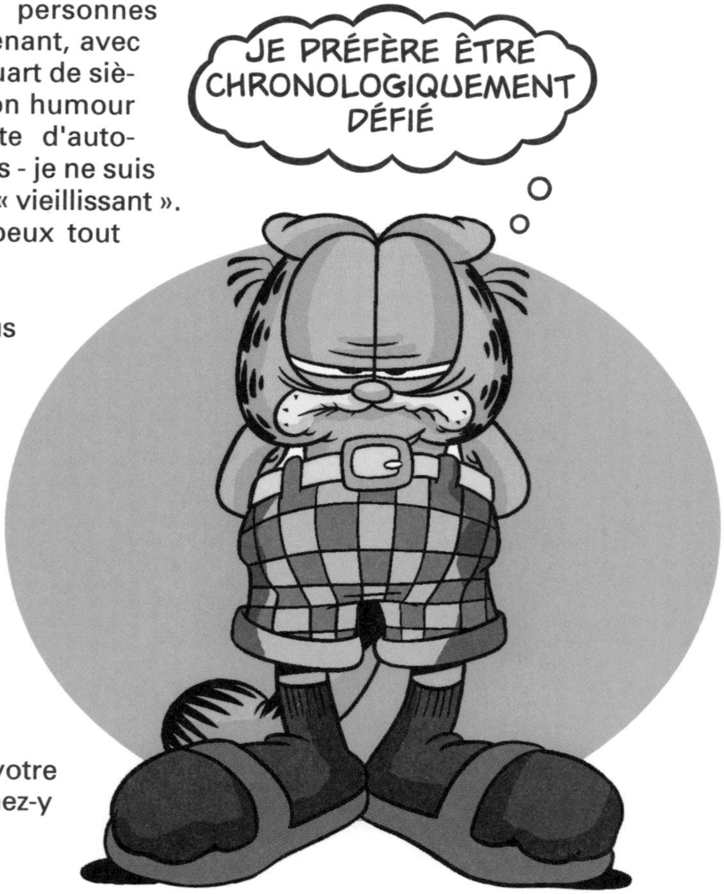
JE PRÉFÈRE ÊTRE CHRONOLOGIQUEMENT DÉFIÉ

Heureusement, puisque vous vieillissez, vous devenez plus sages (et amples). Vous apprenez que le secret pour ralentir le processus du vieillissement est d'accélérer le processus du mensonge. Je recommande également de manger beaucoup de malbouffe - vous aurez besoin de tous les agents de conservation que vous pouvez obtenir. Et je pense qu'il est important de vieillir sans élégance. La maturité est surfaite : vous êtes jeunes seulement une fois, mais vous pouvez être immatures toute la vie !

Alors, détendez-vous simplement dans votre chaise berçante, enlevez vos dentiers et prenez-y grand plaisir : le vieillissement se produit.

L'ÂGE EST UN ÉTAT D'ESPRIT
JIM DAVIS 6-17
AVEC UNE SAINE DOSE DE DÉNI

VOUS SAVEZ QUE VOUS PRENEZ DE L'ÂGE QUAND...

VOUS VOULEZ QUE JE COUPE CELA POUR VOUS ?

... vous mettez de l'attendrisseur sur votre gruau.

GOO

... vous connaissiez Bigfoot quand il portait des bottines ?

CERTAINES CHOSES S'AMÉLIORENT AVEC L'ÂGE

... vous vous rappelez lorsque Baskin-Robbins n'offrait que deux saveurs !

HUMMM... VOUS RESSEMBLEZ À UN BORGNE, À UN MONSTRE SUR TROIS JAMBES LANÇANT DES FERS À CHEVAL

... vous jouez à « Relier les points » avec vos taches brunes !

GARFIELD À PROPOS DU GOLF

Si j'en juge par mon expérience avec Jon pendant plusieurs années, le golf est un mot de quatre lettres qui signifie « stress ». En épelant « golf » à l'envers, cela donne « flog » ou flageller, en bon français. Donc, c'est un pensez-y bien. La balle est bien placée sur le tee, laissez-la voler… et commencez à crier.

Au golf, piquez une seule colère à la fois.

13

Lorsque Jon frappe sur le parcours de golf, le parcours de golf le frappe en retour. (C'est pourquoi mon parcours préféré, ce sont les saucisses). Le handicap de Jon est son élan. Une fois, il a réussi un lancé de 68 - et la balle s'est retrouvée dans le trou! La police l'a arrêté pour mauvaise conduite! L'unique chose plus disgracieuse que son jeu sont ses vêtements. « Vouloir tout foutre en l'air et tout déchirer » devrait s'appliquer autant à sa carte de points qu'à ses culottes.

Ne laissez jamais voir que vous trichez.

Malgré cela, je fais de mon mieux comme caddie de confiance pour l'aider… menteur. Hé, c'est pareil en amour comme au golf. Si vous ne réussissez pas du premier coup… changez votre score lorsque personne ne vous regarde! Selon moi, cela fait partie du jeu.

WHIFF!
JIM DAVIS
3-5
© 1996 PAWS, INC. All Rights Reserved.
PERMETS-MOI
COMMENT PEUX-TU ?! TU ES UNE BALLE STUPIDE ! JE VAIS TE LE MONTRER !

Devrais-je utiliser un fer plat ou un coupe-bordures ?

Je suis un golfeur dont le handicap est 0 dans un univers parallèle.

Le meilleur partenaire est n'importe qui pire que moi.

Un bon caddie est toujours là lorsque vous avez besoin de lui.

GARFIELD À PROPOS DE L'HALLOWEEN

Faire du porte à porte pour demander des bonbons? C'est maintenant l'idée que j'ai d'une fête. L'Halloween représente un de mes meilleurs moments de l'année. J'aime découper des citrouilles, me déguiser et manger deux fois plus que mon poids de bonbons en forme d'épis de maïs.

D'où provient cette fête légèrement particulière ? L'Halloween est issue de l'Irlande celtique du 5e siècle av. J.-C. Le 31 octobre, on fêtait la nouvelle année celte, jour lors duquel les esprits désincarnés de tous ceux qui étaient morts pendant l'année précédente pouvaient revenir à la recherche de corps vivants à posséder pendant l'année suivante. Cela ressemble à une fête, pas vrai ?

Costumes d'Halloween les moins aimés de Garfield
Arbre
Borne fontaine
Gros os à mâcher

En Amérique, on a commencé à fêter l'Halloween en 1840. À l'époque, on jouait des tours comme faire basculer une toilette chimique. C'est une belle attention, mais j'ai toujours préféré lancer des œufs sur les maisons.

De nos jours, la plupart des gens célèbrent l'Halloween en se déguisant et en passant de maison en maison en faisant des blagues ou en mangeant des friandises. J'aime marcher dans le voisinage en ramassant des bonbons, mais je ne me suis jamais déguisé pour réussir (merci à Jon, mon maître bête). Voici quelques-uns de mes costumes catastrophes...

GARFIELD À PROPOS DU BONHEUR

La recherche du bonheur est beaucoup trop compliquée chez la plupart des gens. Vous n'avez pas besoin d'être riches, ou beaux ou célèbres pour trouver la félicité. Je suis certain qu'il existe des personnes pauvres, laides et inconnues qui sont parfaitement heureuses.

Plusieurs routes mènent au bonheur. Je préfère celle qui comporte le moins de haltes. Comme vous le savez, je n'aime pas travailler à propos de tout et de rien - principalement pour être heureux. Donnez-moi un lit doux, un grand écran de téléviseur et quelques chiens esclaves pour aller chercher mes collations et je serai un chaton comblé.

Z

Le bonheur, c'est de dormir un lundi.

GARFIELD, JE ME DEMANDE QUEL EST LE VÉRITABLE BONHEUR ?
GARFIELD
CLONK
GARFIELD
JIM DAVIS 6-2
© 2003 PAWS, INC. All Rights Reserved.
REMPLIS-LE OU JE VAIS TE MONTRER CE QU'IL N'EST PAS.
GARFIELD

GARFIELD À PROPOS DU HEAVY MÉTAL

C'est bruyant. C'est lubrique. C'est pompeux et offensant. L'unique élément qui est vraiment bon est que cela a rendu nos parents fous et ennuyé le voisinage. Je ne peux me résoudre à écouter ce grincement sonore (mon QI pourrait descendre de 20 points ou plus) mais j'aime son potentiel comme arme de distraction de masse.

En fait, la prochaine fois que ma voisine, madame Feeny, me dénonce pour avoir mangé les fleurs de son jardin, je vais ouvrir la fenêtre et mettre un CD du groupe heavy metal le plus odieux et monter le son jusqu'à 11 heures! Allez, venez sentir le bruit !

METALLICAT
EAT YOUR YOUNG
FEAR

LE VÉRITABLE GROUPE HEAVY MÉTAL

GARFIELD À PROPOS DE LA SAUCE PIQUANTE

Les plaisirs piquants de la vie sont les meilleurs. Rien n'épice mieux instantanément ce qui est fade, un aliment ennuyeux, que la sauce piquante. C'est vrai - ça ne veut rien dire si une chose ne fait pas tilt !

Évidemment, cela doit être piquant, mais plus important encore, cela doit avoir bon goût (le plus piquant ne signifie pas toujours le meilleur). Après avoir mangé le piquant, je veux goûter la saveur.

Le Habanero est le plus piquant, mais le Thaï, le poivre de Cayenne, le jalapeno, les chipotes ou plusieurs autres piments peuvent être utilisés pour créer des sauces piquantes agréables pour le palais. Mélangez différentes herbes, fruits et légumes et vous obtenez une variété sans fin - et la variété, c'est l'épice de la vie.

Il y a également un plaisir - et une douleur - dans les noms stupides : « Levez-vous d'un bond et mordez-moi »; « Langue humide mortelle »; « La mort travaille en temps supplémentaire »; « Fesse rôtie à la Rajun-Cajun ». Je viens juste de les inventer, mais il devrait y en avoir d'autres du même genre. Hé, peut-être que je devrais embouteiller ma propre grosse sauce piquante graisseuse enflammée !

JALAPENO
© 2000 PAWS, INC. All Rights Reserved.
POIVRE DE CAYENNE
HABANERO !
POIVRE PÉRUVIEN DE LA MORT
FOOM
TU GAGNES
ALORS, POURQUOI NE SUIS-JE PAS CONTENT ?
JIM DAVIS 9-17

GARFIELD À PROPOS DES INSULTES

Boutons-pression, casquettes, déceptions, claquements de doigts... une insulte sous un autre nom est toujours amusante à dire - spécialement si vous êtes celui qui se paie la tête de quelqu'un et non celui à qui s'adressent les insultes.

La plupart de mes remarques cinglantes sont ironiques, puisqu'elles sont souvent dirigées vers Jon et Odie, des perdants aimables, qui sont désarmés face à la bataille de l'esprit. Si nécessaire, cependant, je peux chercher dans mon vaste arsenal de plaisanteries et de réparties pour déclencher une puissance de tir verbal suffisante pour détruire une brute ou rabrouer un snob.

Aussi, comme excuses, les insultes sont vos amies. Une insulte chaque jour garde à distance le stupide commentaire toujours. Y en a-t-il un qui s'enlise, cerveau de fromage ? Hé, je te parle, face de moisissure. As-tu déjà pensé à une carrière de mannequin pour les tests de sécurité automobile ? En passant, quelle est cette étrange excroissance dans ton cou ? Oh, c'est ta tête!

Wow. Je suis désolé. Aucun préjudice intentionnel; les insultes sont juste trop invitantes. Aussi, s'il te plaît, oublie-moi... haleine de litière. Hé, je ne pouvais simplement pas résister à la tentation de te renvoyer une flèche.

T'es tellement stupide que tu fais foirer la récréation.

À VENIR « LE CHAT, LE GROS MALIN INTELLIGENT DE LA NATURE »
QU'Y A-T-IL ?
RIEN QUI PUISSE T'INTÉRESSER, GRAINE DE CERVELLE
© 1991 PAWS, INC.
JIM DAVIS 7-12

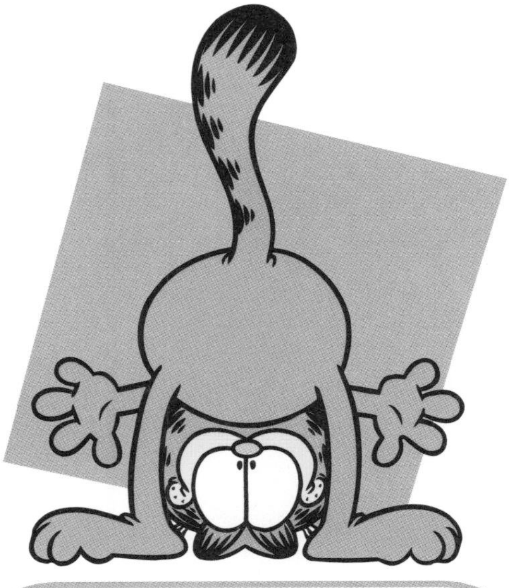

Est-ce ton visage
ou tes pantalons
sont tombés ?

Belle coupe de cheveux.
Vas-tu toujours chez
le coiffeur pour chiens ?

Tu as le QI
d'un navet.

J'ai déjà vu de plus
belles dents
sur mon peigne.

GARFIELD À PROPOS DES AVOCATS

FAITES-MOI CONFIANCE

Connaissez-vous la vieille blague : Comment appelez-vous 5 000 avocats au fond de l'océan ? Réponse : un bon départ. En voici une autre : Comment appelez-vous un avocat qui ne poursuit pas les ambulances ? Un retraité. Encore une : Comment pouvez-vous dire qu'un avocat ment ? Ses lèvres bougent.

OK, OK, je me moque des avocats. Que peuvent-ils faire ? Me poursuivre? Mais puisque tout a été dit et fait, je suppose que la profession légale en est une valable. Je veux dire, ce n'est pas tout le monde qui peut aller à l'école de médecine, pas vrai ?

© 1991 PAWS, INC. All Rights Reserved.
LES TEMPS SONT AUX CHANGEMENTS.

HÉ LE CHAT !
C'EST MON AVOCAT, SID. J'AI UNE INJONCTION CONTRE VOUS !
© 2004 PAWS, INC. All Rights Reserved.
OH ! POURQUOI CE SOURIRE ?
JE N'AI JAMAIS FAIT PATAUGER UN AVOCAT DANS LA BOUE.

GARFIELD
À PROPOS DE
LA PARESSE

Certains appellent cela de la « paresse »; moi j'appelle cela de la « réflexion profonde ». Certains disent « Vas-y ! » Je dis « Laissez les choses venir à vous ». Mais, personnellement, je ne me considère pas paresseux; j'ai juste besoin d'être motivé.

OK, je charrie... Je suis l'image du chat paresseux. Le sultan des paresseux. Je suis tellement paresseux que je prends des pauses-café entre les siestes.

Oui, je suis juste un gros napperon gras sur le déclin de sa vie - et c'est comme ça que j'aime ça. Hé, la vie est bien plus agréable lorsque vous la prenez allongée.

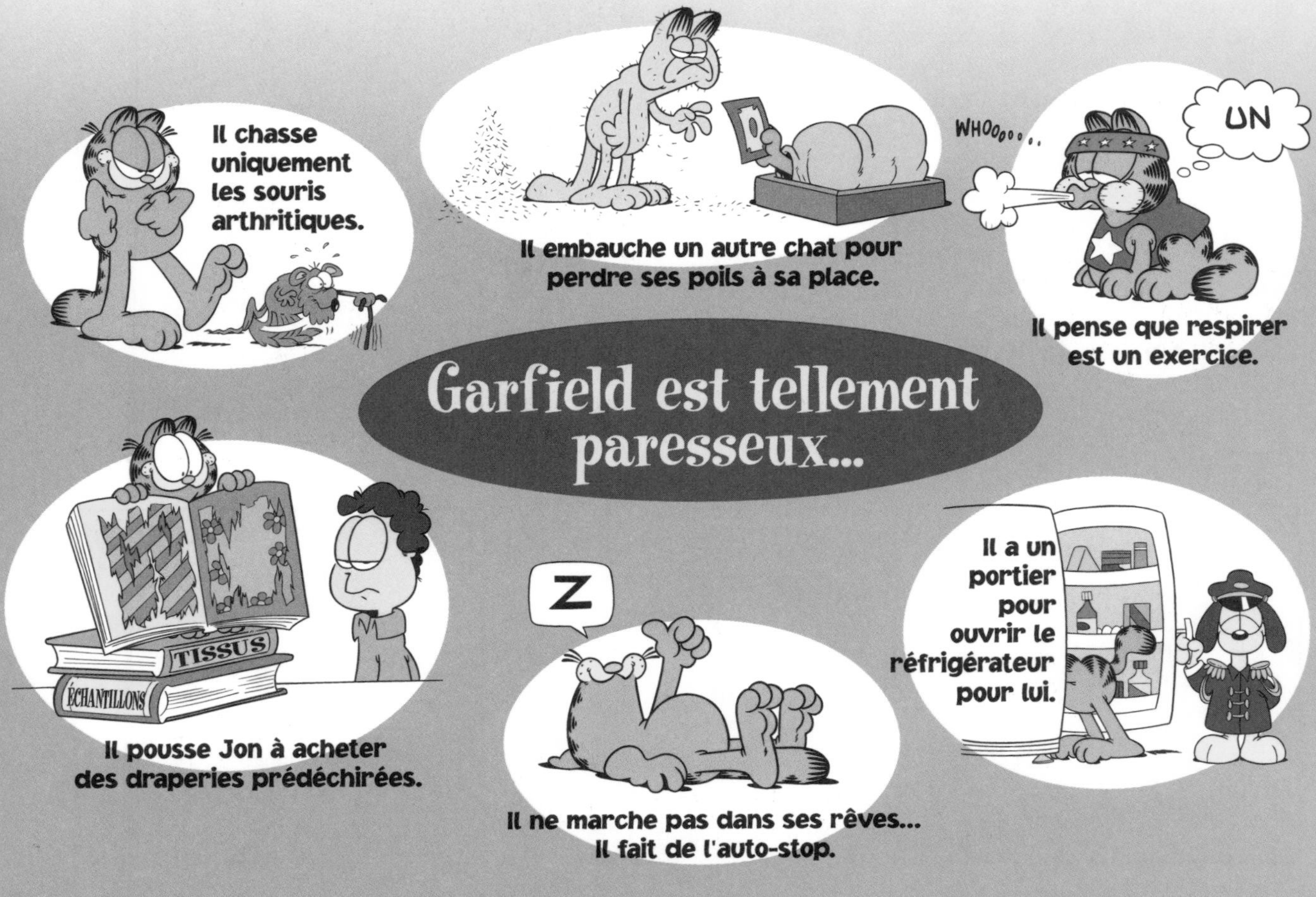
Garfield est tellement paresseux...
Il chasse uniquement les souris arthritiques.
Il embauche un autre chat pour perdre ses poils à sa place.
WHOOooo...
UN
Il pense que respirer est un exercice.
TISSUS
ÉCHANTILLONS
Il pousse Jon à acheter des draperies prédéchirées.
Z
Il ne marche pas dans ses rêves... Il fait de l'auto-stop.
Il a un portier pour ouvrir le réfrigérateur pour lui.

GARFIELD À PROPOS DE LA LITTÉRATURE CLASSIQUE

Don Quichotte, Madame Bovary, Moby Dick, Ulysse... sont tous de grands livres de la littérature mondiale. Ils sont excellents parce qu'ils explorent les thèmes universels de la condition humaine, comme le bien et le mal, l'amour et la haine, la vérité, la foi, l'honneur et la culture. Ils sont également excellents pour écraser les grosses araignées poilues. (Les romans russes sont particulièrement mortels. En fait, une copie des Frères Karamazov pourrait pulvériser un raton laveur, s'il ne meurt pas d'ennui avant.)

VOUS AVEZ DIGÉRÉ QUELQUES BONS LIVRES DERNIÈREMENT ?
La fable des deux chatons
Beauté et festins
Les trois mousses-quetaires
GUERRE ET PIZZA

Ne vous méprenez pas sur mon compte. Je suis un bon défenseur des classiques - particulièrement sous la forme de bandes dessinées. Hé, qu'est-ce que je pourrais dire ? Moby Dick est la fable d'une baleine, mais lire cette histoire pesant mille pages pourrait me faire pleurer comme un veau. Mais j'ai aimé la bande dessinée de M. Magoo ! La version du film avec Gregory Peck était aussi correcte. Mais je divague. Ou peut-être pas. Peut-être que je devrais créer mes propres classiques fous. Je pourrais faire un « Tomchat Sawyer », « Duveteux Potter » ou « Chat croqué de Notre-Dame » !

LES FILLES AIMENT LES GARS INTELLECTUELS
ALORS JE BÛCHE SUR LA LITTÉRATURE CLASSIQUE.
ICI, MME BUTTERFLY VISITE MISS DAISY
L'HOMME LIT UN ALBUM À COLORIER.
© 1997 PAWS, INC. All Rights Reserved.
JIM DAVIS 7-1

Comment griller un oiseau moqueur

De souris et d'abdomen

Drôles de Chefs-d'œuvre

FRANKENFURTER

Grandes Expectorations
DIP

GARFIELD À PROPOS DE L'AMOUR

Amour, doux amour. Qu'est-ce qui a autant de splendeur qu'une conquête ? Qu'est-ce qui nous rend tous fous et fait que le monde tourne ?

Beaucoup plus a été écrit au sujet de l'amour que sur n'importe quel autre sujet. Les poètes, les dramaturges et les chansonniers ont exploré les mystères de cette émotion énigmatique et se sont extasiés au-delà de son pouvoir redoutable. L'amour a été perçu comme un mal engendrant la folie, une démangeaison du cœur, une douleur de l'esprit. L'amour peut être le premier regard - ou l'aveuglement. Il peut être deux cœurs qui battent comme un seul ou une mélodie qui chante pour deux. Il peut même avoir un score de zéro au tennis.

Toutes ces choses éthériques et ésotériques me donnent mal à la tête. Je préfère que ce soit simple. J'aime mes amis, ma nourriture et moi-même (bien que pas nécessairement en ordre). Je crois en l'amour à la première bouchée. Que cet amour véritable partage la dernière pointe de pizza !

LASAGNE IL N'Y A PAS D'AMOUR COMME VOTRE PREMIER AMOUR

GARFIELD À PROPOS DES SCIENTIFIQUES FOUS

Depuis que le Dr Frankenstein a conçu un monstre à partir de différents corps volés dans des fosses, les scientifiques cinglés ont écopé d'une mauvaise réputation. Ils ont été décrits comme des fous lunatiques, mais en fait ces gars se font du plaisir avec la science. Les scientifiques ordinaires étudient les germes et créent des vaccins. Ennuyant ! Le scientifique cinglé utilise la radiation pour créer des insectes mutants gigantesques et insère le cerveau d'un gorille dans le corps d'une belle fille.

LA BÊTE NOIRE DES ANIMAUX DOMESTIQUES DU DR FRANKENSTEIN

- Igor arrive toujours avec le mauvais cerveau
- Coût de la facture d'électricité follement élevé
- Les villageois en colère essayaient toujours de détruire les châteaux en les brûlant; on ne peut obtenir d'assurance propriété à prix abordable
- La popularité de la crémation signifie moins de tombes disponibles à piller
- Le monstre ne téléphone jamais le jour de la fête des pères

Aujourd'hui, tous les jeunes pourraient vouloir essayer pareils projets scientifiques !

Mais être un scientifique cinglé n'est pas que gloire et déterrement de cadavres. Les choses peuvent tourner mal. Votre créature peut se retourner contre vous, le laser géant que vous avez construit pour faire fondre la calotte glaciaire peut manquer d'énergie ou un rival peut mettre VOTRE cerveau dans le corps d'un gorille. Malgré les risques du métier, ces penseurs créatifs devraient être salués, car la science folle de nos jours est la merveille médicale de demain !

GARFIELD À PROPOS DU MARIAGE

Je suis le célibataire le plus désirable du monde; et après toutes ces années, c'est devenu évident que je le resterai. Mais ce n'est pas parce qu'il n'y a pas une foule de jeunes beautés empressées de se marier avec moi.

Arlène est celle qui a le plus de chances d'être l'heureuse gagnante du concours d'amour de Garfield. Mais qu'arrivera-t-il si elle ronfle ? Et si sa mère vient habiter avec nous ? Et si sa mère ronfle ? On ne dit pas que Pooky pourrait être extrêmement jaloux. D'autre part, j'ai besoin de mon espace réfrigérateur.

Oui, je sais que ce ne sont que des excuses. La véritable raison pour laquelle je ne veux pas marier Arlène, c'est que je vis un grand amour avec quelqu'un d'autre - moi.

Trucs pour un mariage heureux

Pas de coup de tête ou de coups en bas de la ceinture.

Un bain pris régulièrement est toujours un plus !

Ne jamais donner un rendez-vous galant à la maison.

Un cadeau surprise n'est pas une très bonne idée pour votre anniversaire.

Ne blâmez pas votre épouse à propos de tout: laissez votre famille le faire pour vous.

Deux mots : Victoria's Secret

GARFIELD À PROPOS DES SOURIS

Certains chats aiment grignoter des souris. Ça n'a jamais été mon truc. Comme je l'ai toujours dit : « Présentez-moi un bon chasseur de souris, je vous présenterai un chat avec une mauvaise haleine ». Puis, les chasser fait trop dépenser d'énergie. Mais je peux attraper une souris... dans la mesure où vous me la lancez !

Actuellement, je ne sais pas comment cette histoire de chat et de souris a commencé. C'est vrai que nous, les chats, sommes des chasseurs naturels, mais je préfère de beaucoup traquer une montagne de beignes sauvages pour éviter d'avoir des milliers de microbes aux pieds.

Mais j'ai une entente avec les souris de la maison de Jon : Je ne les mange pas... et elles ne piègent pas la litière.

© 1991 PAWS, INC. All Rights Reserved.
JE VOIS QUE LES « SOURIS BIZARRES » SONT DE RETOUR.
JIM DAVIS 11-9

QU'EST-CE QU'IL Y A DANS MON BOL D'EAU ?
JIM DAVIS 2-20
IL SEMBLE QUE CE SOIT UNE CHAMBRE À AIR.
© 1992 PAWS, INC. All Rights Reserved.
EST-CE QUE LA PISCINE EST FERMÉE ?
JE NE BOIRAI PLUS JAMAIS D'EAU.

LUNDI

GARFIELD À PROPOS DES LUNDIS

La lettre « L ». La pire des journées. Lundis.

Bien que je ne travaille pas et que je ne vais pas à l'école, je continue à angoisser les lundis. En fait, je n'ai jamais connu un lundi que je n'ai pas détesté. Pour moi, ils représentent surtout la douleur. Comme passer la soie dentaire à un blaireau du Labrador... avec de la gingivite.

Un lundi, je désirais une casserole de cinquante livres de lasagne - elle m'est tombée dessus. Un autre lundi, j'ai trouvé six criquets qui faisaient de la nage synchronisée dans mon bol d'eau. Ensuite, il y a eu l'horrible incident de la mine dans mon déjeuner. (Pouvez-vous dire « KA-BLOOEY » ? et « diète du lundi » ?... « Examen du lundi » ?... n'allons pas jusque-là...

J'ai l'impression qu'il n'y a vraiment qu'une seule façon pour moi de battre le fléau du lundi : aller au lit tôt le dimanche soir et régler mon réveil pour le mardi!

JIM DAVIS 10-21
© 1996 PAWS, INC./Distributed by Universal Press Syndicate
ZWIP
ZWIP
ZWIP
ZWIP
ZWIP
ZWIP
ZWIP
JE DÉTESTE LES LUNDIS.

COMMENT LE LUNDI MATIN EST-IL DIFFÉRENT DES AUTRES MATINS ?
© 1990 PAWS, INC. All Rights Reserved.
BLUT!
LES AUTRES MATINS, JE POURRAIS METTRE DU BEURRE D'ARACHIDE SUR MA TOAST.
JIM DAVIS 6-11

POUR L'ÉTERNITÉ
LUNDI
REPOSE
EN PAIX

LES LUNDIS SONT ÉLIMINÉS

Le monde adopte la semaine de six jours !

GARFIELD À PROPOS DE L'ARGENT

L'apôtre Paul disait que l'amour de l'argent est la source de tout mal. Le dramaturge et spirituel George Bernard Shaw disait que le manque d'argent est la source de tout mal. Je gage qu'ils ont raison tous les deux... mais je ne miserais pas d'argent là-dessus.

Nous savons tous que l'argent fait tourner le monde : si c'est un mauvais esprit, il est nécessaire. Les besoins nécessaires à la vie - nourriture, vêtements, abri, câble télé - ne sont pas gratuits (à moins que vous ne soyez un animal domestique. Et les humains pensent qu'ils sont supérieurs).

Voyons les choses en face : tout le monde aimerait gagner à la loterie, et je ne suis pas différent. Ne vous inquiétez pas, je ferais bon usage de l'argent. Je ne dépenserais pas seulement pour moi. Je commencerais par acheter une personnalité à Jon et j'enverrais Odie à une clinique pour ses excès de bave. Je donnerais également à une œuvre de charité (Mères contre les chiens qui conduisent est une de mes préférées). Ensuite, je ferais quelque chose pour moi.

VOUS NE POUVEZ ÊTRE NI TROP RICHES NI TROP REPOSÉS.

SI GARFIELD GAGNAIT À LA LOTERIE, QUE FERAIT-IL ?

- $ Aurait un réfrigérateur dans chaque pièce !
- $ Construirait une stalle autour de sa litière.
- $ Embaucherait un voyou pour effrayer les chiens du voisinage.
- $ Deviendrait le favori d'une chatte différente chaque soir.
- $ Se ferait élargir l'estomac.
- $ Obtiendrait un emploi, juste pour pouvoir le quitter.
- $ Mangerait, dormirait et jouerait au millionnaire.

ATTENDS DE VOIR CE QUE J'AI ACHETÉ, GARFIELD.
TAH-DAH !
© 1986 PAWS, INC. All Rights Reserved.
C'EST SURPRENANT CE QUE LES GENS DÉSIRENT À PART L'ARGENT.
JIM DAVIS
11-23

ILS ONT MIS UN PROVERBE SOUS CHAQUE PHOTO DANS LE CAHIER SOUVENIR.
JIM DAVIS 6-24
YEARBOOK
EUPHEMIA HINKLE : « UN SOUS ÉPARGNÉ EST UN SOUS GAGNÉ. »
© 1995 PAWS, INC./Distributed by Universal Press Syndicate
JON ARBUCKLE : « UN IDIOT ET SON ARGENT SONT AUSSITÔT SÉPARÉS. »

GARFIELD, SI TU AVAIS LE CHOIX, AIMERAIS-TU ÊTRE RICHE OU CÉLÈBRE ?
JIM DAVIS 9-1
© 1983 PAWS, INC. All Rights Reserved.
TU PARLES À UN CHAT FELLA. TOUT CE DONT J'AI BESOIN, EST : BEAUCOUP DE BONNE NOURRITURE ET UN PEU D'ATTENTION.
JE SUPPOSE QUE NI L'UN NI L'AUTRE N'INTÉRESSE UN CHAT.
JE VOUDRAIS PLUTÔT ÊTRE RICHE.

GARFIELD À PROPOS DES MONSTRES

Les loups-garous, les momies et les zombies ne m'effraient pas du tout. Non, la seule chose qui m'effraie c'est de vivre sans lasagne. En fait, j'aime les monstres, spécialement ceux avec qui Jon a rendez-vous. Mais quand cela survient au grand écran, je préfère réellement les créatures classiques à celles de gars mal foutus. Personne ne peut porter un masque de hockey et dépecer un camp de vacances. Les anciens monstres avaient de la classe. Du style. Dracula portait même un smoking !

Mais nous sommes loin de tout cela depuis que nous avons appris le sinistre sort réservé aux vedettes d'antan. Qu'a-t-il bien pu leur arriver ? C'est drôle que vous le demandiez.

G
AR
FIE
LD
Histoires de peur
JON ! JON !
AAAAAAHHHHHH !
GARFIELD ! CESSE DE M'EFFRAYER !
© 1993 PAWS, INC. All Rights Reserved.
SI TU VEUX QUELQUE CHOSE, TAPE DOUCEMENT SUR MON ÉPAULE !
TAP TAP
JIM DAVIS 10-31

PEU IMPORTE CE QUI ARRIVE À...

BURP

LA CRÉATURE DU LAGON NOIR

A perdu son rôle de vedette dans un commercial sur le thon lorsqu'elle a mangé le directeur.

LE MONSTRE FRANKENSTEIN'S

Création d'une ligne de vêtements légèrement irréguliers, gros et grands.

L'HOMME LOUP

A mis sa carrière de côté à cause d'une importante calvitie.

PLASMA
LO-CAL
D

DRACULA

Gonflé jusqu'à 250 livres : a du changer pour du plasma à faible teneur en cholestérol.

L'HOMME INVISIBLE

N'a pas été vu à l'écran pendant cinquante ans : actuellement, il fait du doublage.

GARFIELD À PROPOS DES MATINS

Je suis rébarbatif au lever; je me lève et je chiale. Certains matins, je ne peux juste pas me lever; c'est la pire façon de commencer la journée. Selon moi, un bon matin c'est celui où vous continuez à dormir. Voyons les choses en face - c'est difficile de se lever. C'est pourquoi des sadiques ont inventé les réveille-matin (qui ont été faits pour être brisés).

J'AIMERAIS MIEUX LES MATINS S'ILS DÉBUTAIENT PLUS TARD.

Je ne suis pas lève-tôt. En autant que je suis concerné, les personnes qui se lèvent à l'aurore sont timbrées. Les oiseaux du matin doivent se faire examiner la tête ! Qu'est-ce qu'il y a de si merveilleux à chercher des vers ?

D'autre part, tu vois un lever du soleil et tu les as tous vus. Si c'est tellement amusant, quelqu'un peut les enregistrer et vous pourrez les regarder plus tard. Écoutez seulement votre limace intérieure et rappelez-vous : toute chose qui mérite d'être faite peut être faite après le lunch.

LÈVE-TOI GARFIELD.
Z
© 1993 PAWS, INC. All Rights Reserved.
LES OISEAUX DU MATIN ATTRAPENT DES VERS !
LE CHAT LÈVE-TARD PRÉFÈRE LE CAFÉ, LES CRÊPES ET DU BACON.
JIM DAVIS 3-16

Si nous étions destinés à nous lever en une fraction de seconde, nous dormirions tous dans un grille-pain.

Crème à raser
DÉSODOR

« Bon matin » est une expression contradictoire.

ENFIN, REGARDE QUI EST LEVÉ.
JIM DAVIS 6-6
© 1994 PAWS. INC./Distributed by Universal Press Syndicate
EST-CE GARFIELD OU MONSIEUR GROGNON ?
NOUS N'AIMONS PAS MONSIEUR GROGNON.
ET MONSIEUR GROGNON NE T'AIME PAS.

GARFIELD À PROPOS DES FILMS

C'EST LA DIRECTION QUI M'INTÉRESSE.
POP CORN

Je l'avoue, je suis un accro du cinéma. J'adore tous les types de films : comédie, drame, thriller, science fiction, horreur, étranger, indépendant, énigmatique - ainsi que les comédies musicales. (Mais ne le dites pas à tout le monde. J'ai une réputation à protéger.) Toutefois, je ne veux pas grignoter stupidement mon maïs soufflé et ne rien regarder. Vous ne pourriez pas me payer pour regarder une histoire d'amour larmoyante et je n'aime définitivement pas les documentaires.

Bien que je sois un cinéphile fanatique certifié, je suis un peu estomaqué de voir combien les films ont changé au cours des ans. De nos jours, tout est analysé en fonction des cotes d'écoute et du marketing. Citizen Kane, un des plus grands films de tous les temps, ne serait probablement pas produit de nos jours. Les studios exigeraient que le personnage principal soit un adolescent, qu'on y ajoute des poursuites, quelques explosions et aussi probablement Jackie Chan. Je frissonne quand je pense à cela.

Heureusement, le résultat de Tinseltown n'est pas de la foutaise. Année après année, il y a encore beaucoup de bons films qui arrivent sur nos écrans. Aussi longtemps que Hollywood présentera des films remplis de magie, je fréquenterai les salles du multiplexe avec mon immense seau de maïs soufflé. Avec beaucoup de sel et du beurre, bien entendu.

ALORS, JON, QUEL FILM ALLONS-NOUS VOIR ?
« LE MONSTRE BOUEUX VII : LE SUINTEMENT »
AIMERAIS-TU UN SEAU DE MAÏS SOUFFLÉ ?
NON, SEULEMENT LE SEAU, S'IL TE PLAÎT.
Snack Bar
© 2000 PAWS, INC./Distributed by Universal Press Syndicate

LUMIÈRES, CAMÉRA, RIRES !

Voici ce que je retiens de certains des grands du cinéma...

CHATSABLANCA

le Parrain
miaulant

Forrest Gulp
LA FAIM JUSTIFIE LES MOYENS.

LA GUERRE DES FOURRURES
QUE LA FARCE SOIT AVEC TOI

GARFIELD À PROPOS DES BOLLÉS

On les nomme également accros du net, fanatiques, pauvres types ou imbéciles. Mais un bollé, si on le nommait autrement, serait seulement un inadapté social.

Où trouve-t-on un bollé ? Généralement dans le sous-sol de la maison de sa mère; ou au magasin qui vend des bandes dessinées; ou portant des oreilles de Vulcain en plastique à la convention locale de Star Trek.

Je suis un expert de ces étranges extraterrestres d'allure humaine. Après tout, mon maître, Jon Arbuckle, est un bollé. En fait, il est « Bollézilla », le roi de tous les bollés. Le vendredi soir, il prendrait plaisir à yodler vêtu d'un kilt en conduisant un monocycle.

Mais ce ne sont pas tous les bollés qui sont des perdants (comme Jon). Certains peuvent devenir des accros accomplis du net (comme le milliardaire Bill Gates). Les abrutis offrent des services valables : ils donnent quelqu'un à battre aux joueurs de football.

FAÇONS DE VOUS IDENTIFIER À UN BOLLÉ

- « Vos yeux brillent comme les ailes de la fée Alwyn, le petit démon espiègle d'Hypathia... »
- « N'avons-nous pas combattu ensemble auparavant dans un tournoi de donjon et dragon ? »
- « Hé, poupée ! Que dirais-tu si ma mère nous conduisait au magasin de bandes dessinées ? »
- « Tu es tellement belle... J'aurais aimé avoir une figurine articulée de toi. »
- « Je voudrais que nous allions plus tard, ensemble, chercher un mélange d'esprit Vulcain. »

LES GENS ME DEMANDENT POURQUOI JE JOUE DE L'ACCORDÉON.
SAIS-TU CE QUE JE LEUR RÉPONDS ?
PARCE QUE JE SUIS NÉ À L'ÉPOQUE DU BOOGIE WOOGIE !
IL A ÉTÉ ABANDONNÉ QUAND IL ÉTAIT ENFANT ET ÉDUQUÉ PAR DES BOLLÉS.
JIM DAVIS 3-2
©1996 PAWS, INC. All Rights Reserved.

VOUS SAVEZ QUE VOUS ÊTES UN BOLLÉ LORSQUE...

Vous pensez que jouer de l'accordéon vous donne une apparence recherchée.

À l'école, on vous a surnommé « le plus susceptible de marier un électroménager ».

Vous possédez une grande collection de pantoufles en forme de lapin.

Le dernier CD que vous avez acheté était « Le meilleur de l'harmonica ».

Vous amenez votre mère à votre bal de graduation.

TUBE
ARGYLE
BOBBY
CREW

Vous identifiez par ordre alphabétique vos tiroirs de chaussettes.

GARFIELD À PROPOS DES PRIX NOBEL

Le Prix Nobel est un prix célèbre (mucho kudos et argent) donné aux sommités depuis 1901. À ce jour, aucun chat - y compris votre distingué - ne l'a remporté. C'est un crime, mais personne ne sera jamais puni.

À l'avenir, les nouvelles catégories pour le Prix Nobel comprendront la physique virtuelle, la biosphérique et les plus gros melons d'eau.

Mes possibilités sont réduites car les prix sont décernés, par catégories, uniquement en fonction des succès d'un groupe restreint : chimie, physique, médecine, paix, littérature, économie. Mais, ALLÔ, avez-vous déjà pensé ajouter quelques nouveaux domaines ? (sommeil ? boules de poils ?) Mais c'est correct… Je peux faire de la science : une fois, j'ai conçu une méthode pour ouvrir le réfrigérateur sans quitter mon lit! (L'appétit est la mère des inventions).

Je connais une partie du problème : Alfred Nobel, un Suédois, a réussi à créer ce Prix à force de volonté. Il a aussi été l'inventeur de la dynamite (c'est pourquoi il a besoin d'un testament). Entre-temps, il m'est déjà arrivé d'écouter ABBA durant une performance commandée pour le Roi de Suède. Ce n'est pas nécessaire d'être un récipiendaire du Prix Nobel pour faire des mathématiques.

TU SAIS, LE PÈRE NOËL N'EST PAS STUPIDE !
JIM DAVIS 12-13
© 1999 PAWS, INC. All Rights Reserved.
J'Y PENSERAI DEUX FOIS AVANT DE LUI ENVOYER CETTE LETTRE SUR LA FAÇON DONT TU AS ÉTÉ GENTIL CETTE ANNÉE.
PEUT-ÊTRE DEVRAIS-JE ENLEVER LA PARTIE AU SUJET DU GAGNANT DU PRIX NOBEL DE LA PAIX ?
VRAIMENT ! EST-CE QUE JE PEUX TE SERRER LA MAIN ?

GARFIELD À PROPOS DES JEUX OLYMPIQUES

Les anciens Grecs ont contribué à deux choses importantes à l'égard de la civilisation occidentale : les baklavas et les Olympiques.

Comment ces célèbres jeux ont-ils débuté ? Une légende grecque relate que le puissant Héraclès (ou Hercules, tel que nous le connaissons) a remporté un concours à Olympe et qu'il a ensuite décrété que la course devait être répétée à tous les quatre ans. Qui sait si cela est vrai ? Mais nous savons ceci : Lors des jeux qui avaient eu lieu auparavant, les athlètes couraient nus, faisant d'eux les premiers vrais exhibitionnistes.

Les Jeux olympiques modernes comprennent l'athlétisme, la gymnastique, la natation, la lutte, l'haltérophilie et d'autres événements ennuyants. Si j'en étais responsable, les choses pourraient être un peu différentes...

SUGGESTIONS DE GARFIELD POUR DE NOUVELLES ACTIVITÉS OLYMPIQUES

- ★ Le lancer du chien
- ★ Le ronflement synchronisé
- ★ Le casse-croûte de vitesse
- ★ Le hockey souris
- ★ Le lever du réfrigérateur
- ★ Le massacre de la boule de poils
- ★ Manger jusqu'à l'explosion !

GARFIELD À PROPOS DES FÊTES

Certaines personnes croient au système des deux fêtes - une le vendredi et une autre le samedi. Je crois aux fêtes pour tous les jours ! Ooga Chaka ! Je suis un chat fou et sauvage... Une véritable bête de fête ! J'aime faire la fête jusqu'à ce que les vaches reviennent à la maison ! Ensuite, je fais la fête avec les vaches ! Puis la fête continue jusqu'à ce que les vaches appellent la police !

Je crois au sérieux d'une fête lorsque vous laissez votre cerveau à l'entrée ! Je crois que c'est un devoir patriotique de faire la fête... des dernières lueurs du crépuscule jusqu'à l'aurore ! Je crois à la recherche de nouvelles frontières : nous devons fêter audacieusement là où personne n'a jamais fêté auparavant ! Je crois au balancement de la Casbah (Que Sharif aime ou pas) ! Je crois que je suis un fêtard !

ENGAGEMENT ENVERS L'ESPRIT FESTIF :

Je, Garfield, m'engage solennellement, cependant avec quelques rires, à conserver, protéger et propager le véritable esprit de la fête en célébrant n'importe quand et dès que possible, et à manifester et maintenir ma mauvaise réputation comme bête de fête par tous les affronts à la commune décence et en employant les comportements les plus indécents pour m'amuser, pour lesquels, si je ne les respecte pas, je pourrais passer le reste de ma vie enchaîné à quelqu'un qui pense que les asticots, c'est « vraiment intéressants ».

SI L'ABAT-JOUR VOUS VA, METTEZ-LE.

RAISONS POUR FAIRE LA FÊTE :

- Vous cherchez à ce que votre appartement ressemble à un dépotoir.
- Un démon de la fête a pris possession de votre corps.
- Vous aimez simplement faire de la glace.
- Vous ne pouvez penser à quelque chose d'ennuyant .
- Vous avez une glande suractive de la fête.
- Vous n'avez pas embêté votre voisinage depuis un moment.
- Vous avez une envie soudaine de danser le « limbo ».
- Bon moyen pour rencontrer les représentants de l'ordre de votre localité.

Entendu par hasard lors d'une grande fête : « Comment est-ce possible que cette andouille soit venue ici ? »

BAAH

Entendu par hasard lors d'une grande fête : « J'aime la façon dont cette trempette me passe entre les orteils. »

GARFIELD À PROPOS DES ANIMAUX DOMESTIQUES

Allons-y directement : Les chats ne sont pas des animaux domestiques. Nous ne sommes pas des humains; nous ne faisons que vous tolérer et nous vous permettons de nous servir. Avez-vous compris ?

En fait, je ne comprends pas cette autorité complète sur les animaux de toute façon. Nous, animaux, mangeons gratuitement, laissons nos poils sur vos meubles, salissons votre carpette, vous faisons nettoyer nos dégâts... et vous seriez d'une race supérieure ? Ah bon.

Mais si vous insistez pour transformer votre maison en zoo, laissez-moi vous donner un petit conseil au sujet des animaux domestiques...

Poissons rouges : Propres, tranquilles et ils font de savoureux hors-d'œuvre !

Perroquets : Vous ne pouvez leur enseigner quelque chose... sinon à se taire !

Iguanes : Définitivement pas des animaux de party ! Une pierre fétiche a plus de personnalité que ces rejets reptiliens.

Furets : Cousins de la moufette et de la belette, voilà une créature que seule Ellie May Clampett pourrait aimer.

Lapins : Achetez deux lapins en chocolat et espérez qu'ils se multiplient.

Cochons d'inde : Évidemment, ils sont mignons... mais ils sont une source de mauvais gras.

GARFIELD
À PROPOS DE LA CHIRURGIE PLASTIQUE

La chirurgie plastique... ce n'est plus seulement à Hollywood ! L'Amérique est au cœur d'une obsession de l'apparence, les Jos ordinaires - et plus souvent les Joshanne - allant jusqu'aux extrêmes pour passer de vilains petits canards à cygnes gracieux (ou, à tout le moins, en petits canards gracieux).

Personnellement, je suis le genre à surprendre avec mon ensemble Frankenstein. Lifting du front, liposuccion, blanchiment de la peau, injections de Botox... puis une transplantation de la tête ? Bien sûr, c'est facile pour moi de le dire : je suis un modèle de chat sexy. Je m'aime juste comme je suis.

Cependant, je respecte également les droits des autres personnes de modifier leur apparence comme elles le désirent. L'Amérique est une terre de liberté et la maison des jolies minettes; alors, si vous voulez vous éclater et vous réinventer, c'est votre prérogative. Mais regardons les choses en face. Certains visages nécessitent un peu de travail : une chirurgie de la langue pour Odie, des touffes de cheveux pour Ziggy, remodelage du bec d'Opus - pour n'en nommer et n'en calomnier que quelques-uns. En ce qui me concerne, je passerai mon tour, merci. La seule chose de moi qui passera au couteau est mon T-bone de seize onces !

OUPS J'AI DÛ METTRE LA CHOSE À L'ENVERS.
LIPO-VAC

GARFIELD À PROPOS DU PORC

Ah... l'autre viande blanche. Je suis un peu cochon lorsqu'il s'agit du porc. Je l'aime sous toutes ses formes : pané, en barbecue, en friture, en côtes levées, en côtelettes, rôti ou en jambon, haché dans un hot dog, en tranches sur une pizza, déchiqueté dans un taco, je pourrais même le manger gelé sur un bâton (porcsicles, y'a quelqu'un ?).

OINK ! OINK !

Le porc n'est tout simplement pas la viande la plus goûteuse; c'est la plus amusante. Le bœuf, l'agneau, le veau, vous voyez ça ? Pas drôle. Cependant, le poulet est amusant. Il vient en second après le porc. Voyez comme ces entrées ou plats principaux ont plus de style en leur ajoutant le mot « porc » : porc à la King, porc Wellington, porc Cordon bleu, porc Cacciatore, porc scampi, porc dijonnaise, porc à la mode. Je pourrais continuer encore et encore.

Aussi, laissez-les dire ce qu'ils veulent au sujet du porc. Laissez les médecins et les diététistes contester parce qu'il est gras et salé et contient un haut niveau de cholestérol. Je m'en balance. Si aimer le porc est une erreur, je m'en fous.

C'ÉTAIT MADAME BROWN AU TÉLÉPHONE
JIM DAVIS 2-3
© 2000 PAWS, INC./Distributed by Universal Press Syndicate
ELLE M'A DIT QUE TU L'AS MORDUE
EH BIEN ?!
ELLE PORTAIT UN MUMU AVEC DES CÔTELETTES DE PORC IMPRIMÉES PARTOUT !

GARFIELD À PROPOS DU PARANORMAL

Est-ce que quelqu'un peut vraiment prédire l'avenir ? Beaucoup de personnes le prétendent. Elles utilisent les cartes de tarot, les boules de cristal, l'astrologie, la numérologie, le channeling, la régression dans les vies passées, la chiromancie - et autres méthodes scientifiques du même type.

Le téléphone paranormal est la méthode que je préfère. Vous connaissez la personne. Vous voyez la publicité à la télévision qui nous présente le réseau des amis paranormaux. On vous offre de prédire votre avenir - pour seulement 2,95 $ la minute. On n'a pas besoin d'être Nostradamus pour prédire ce que le futur nous réserve : une énorme facture de téléphone.

Les faux paranormaux recherchent toujours les nigauds, mais ne tombez pas dans leur piège. Comment pouvez-vous éviter de vous faire escroquer ? Lisez...

TRUCS POUR DÉTECTER LES FAUX PARANORMAUX

- Demandez-leur de lire votre carte de crédit plutôt que les cartes de tarot.
- Utilisez une boule de quilles plutôt qu'une boule de cristal.
- Dites-vous que le channeling est une chose que vous faites en utilisant la télécommande.
- Essayez de contacter les morts mais demandez d'obtenir un signal occupé.

GARFIELD À PROPOS DE SHAKESPEARE

Lorsqu'il s'agit d'écrivains, William « La barbe » Shakespeare est un poids lourd (quelque chose que j'apprécie). Ce géant de la littérature a laissé sa marque en rédigeant des pièces de théâtre, des poèmes et des sonnets comme Wilt Chamberlain, « Tee Stilt » qui a marqué des points et des rebonds et qui a eu des amies de coeur.

Il y a 400 ans, Shakespeare a écrit des choses qui sont toujours utilisées couramment dans la langue d'aujourd'hui. En fait, il a utilisé plus de 1 500 mots et expressions comprenant, entre autres, les mots « vomir » et « chiot », lesquels, je suis certain, ont été créés ensemble. (Le chat d'Hamlet a vomi lorsqu'il a vu le nouveau chiot).

Chacun probablement connaît une ligne de Shakespeare. En effet, qui ne connaît pas le fameux : « Être ou ne pas être »... Par rapport à toi-même, sois vrai : « Les bons comptes font les bons amis ». Ces citations proviennent de Hamlet (une pièce de théâtre au sujet d'un prince Danois qui commit un impair royal lorsqu'il décida d'acheter un chiot).

Le monde entier est une scène... et j'ai fait un Shakespeare de moi-même plusieurs fois au cours des années, en créant mes propres lignes à partir de citations remarquables :

SALADE JULES CÉSAR...
ES-TU, CROÛTON ?
MACHALEINE
SORS DE LÀ, MAUDITE TACHE, DIS-JE !

GARFIELD À PROPOS DE L'INDUSTRIE DU SPECTACLE

Comme tout grand artiste, j'aime avoir un auditoire... même s'il est hostile. Et, croyez-moi, j'ai fait face - et j'ai été frappé au visage - à des foules difficiles au cours des années lors de mes spectacles dans le voisinage.

Naturellement, j'ai été la cible de huées, de railleries et de tomates pourries. Mais j'ai également été victime de punitions plus cruelles et anormales : un chat jouet a été pendu en effigie. Un vieil aigri m'a mordu avec ses dentiers; une fois, on m'a même rasé alors que je faisais un spectacle à une convention de barbiers. Aujourd'hui, je considère qu'une bonne foule est celle qui ne se réveille pas. Mais, au moins, je commence à attirer une meilleure classe de perturbateurs : J'ai obtenu un franc succès avec une boîte de caviar vide et une chaussure italienne !

Cependant, comme tout artiste professionnel, je sais que le spectacle doit avoir lieu. Même si mon jeu suscite davantage de violentes critiques que de bravos, je continue à tourner. Pourquoi ne le ferais-je pas ? Si William Hung peut le faire, n'importe qui le peut. D'autre part, je ne fais pas que chanter : je danse aussi, je fais du stand-up comique, même un peu de magie : je suis un véritable chat de la Renaissance. Allumez les projecteurs : j'ai seulement à faire mon numéro sur la route pour devenir une idole américaine !

QUE LE SPECTACLE COMMENCE !
© 1998 PAWS, INC./Distributed by Universal Press Syndicate
LE SPECTACLE EST TERMINÉ !

GARFIELD À PROPOS DU SOMMEIL

Z

Dormir : nous le faisons tous; certains d'entre nous le font mieux que d'autres. Moi, je suis un maître praticien… J'ai obtenu un Ph.D dans le ZZZZZs. (C'est tellement facile, je peux le faire les yeux fermés).

Je ne fais pas seulement une sieste de chat; j'hiberne. (Dormir représente les dix-huit meilleures heures de ma journée). J'aime faire 240 clins d'œil. Lorsque je vois des bûches, ce sont des séquoias.

Dormir d'un sommeil bienheureux… quelle façon naturelle de s'évader.

C'est la meilleure défense contre les matins et la façon parfaite de perdre une journée. C'est également le contenu des rêves. Je peux faire montre d'enthousiasme et glorifier ses vertus, mais je sens qu'une attaque de sieste s'en vient. Je pense que c'est le temps d'un dodo

© 1991 PAWS, INC.
OH — GARFIELD…
ÉTANT DONNÉ QU'UNE ATTAQUE DE SIESTE PEUT SURVENIR N'IMPORTE OÙ, N'IMPORTE QUAND…
JIM DAVIS 4-16

JE NE VEUX PAS ÊTRE DÉRANGÉ LORSQUE JE DORS.
JIM DAVIS 4-23
OU APRÈS MON RÉVEIL POUR LA MÊME RAISON.
© 2003 PAWS, INC. All Rights Reserved.

VOUS SAVEZ QUE VOUS RÊVEZ LORSQUE...

Ils ont choisi les « dix personnes les plus sexy » et c'est toujours vous.

JE VOUDRAIS ME REMERCIER MOI, MOI, MOI, MOI ET ENCORE MOI, ET LA PLUPART DE VOUS TOUS, MOI.
10

Vous devez jeter des personnes dans le donjon.

GRAND-MAMAN N'AIME SIMPLEMENT PAS ÇA.

Ils annoncent que le chocolat est un aliment diète.

De l'argent, on en a jusqu'aux oreilles...

PUIS, IL AURAIT FALLU QUE CE SOIT DES SOUS NOIRS.

GARFIELD À PROPOS DES ARAIGNÉES

Ugh. Ce mot me donne la trouille. Appelez cela un cas extrême d'araignophobie, mais je ne peux pas endurer ces aberrations sur huit pattes. Elles sont poilues, elles donnent la chair de poule et sont simplement affreuses. Mais je leur accorde une chose : elles font un bruit intéressant quand vous les écrasez.

Quelques-uns parmi mes admirateurs difficiles m'ont écrit au sujet de ma violence avec les araignées. Ils protestent contre mon « traitement brutal à l'encontre de nos frères et sœurs arachnides ». Ils disent que la majorité des araignées sont complètement sans défense. Je suis d'accord avec cela, en particulier avec celles qui sont mortes.

Vous voulez savoir la vraie raison pour laquelle je leur donne des coups? Je vais vous le dire. J'ai essayé une fois d'en manger, mais le cœur vous lève.

Le chat est stupide
PSSST!
JIM DAVIS 8-23
CLAC
CLAC
CLAC
CLAC
Le chat est stupide
AHEM
© 1997 PAWS, INC. All Rights Reserved.
Le chat est stupide

HÉ, LE CHAT, QU'EST-CE QUI SENT BIZARRE DANS TA PIZZA ?
© 1999 PAWS, INC./Distributed by Universal Press Syndicate
BURRRP
L'AIL
JIM DAVIS 1-16

GARFIELD À PROPOS DE LA STUPIDITÉ

IDIOT

Voyons les choses en face. En tant que nation - non, en tant qu'espèce - nous sommes bêtes et nous devenons encore plus bêtes. Les gens mangent un gros bol de stupidité au déjeuner, en plus d'une assiette de folie. Bientôt, la personne moyenne sera moins intelligente que son grille-pain.

stupid

Je suis sérieux. Êtes-vous familiers avec les prix Darwin, lesquels, de façon douteuse, rendent hommage aux personnes qui se sont elles-mêmes retirées du patrimoine héréditaire en agissant avec une imbécillité incroyable ? Apparemment, chaque jour, quelque part sur la planète, un idiot jongle avec sa vie avec des grenades ou en accomplissant un autre genre de plaisir fatal, genre « truc humain stupide ».

Vous n'avez qu'à ouvrir le téléviseur et regarder un connard qui entre sa langue dans une ruche. Vous avez juré que Albert Einstein regardait Facteurs de risque lorsqu'il disait : « Seulement deux choses sont infinies - l'univers et la stupidité humaine, et je ne suis pas certain à propos de l'univers. »

Je peux faire une association. Tous les jours, à la maison, je vois la « stooopidité » derrière une tête de dingue avec Odie et Jon. Je vous le dis, si les extra-terrestres atterrissaient sur Terre, ils n'y verraient aucune trace de vie intelligente!

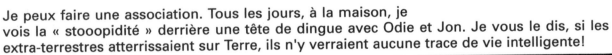

RIIING
© 1998 PAWS, INC./Distributed by Universal Press Syndicate
PUIS-JE PARLER À L'IDIOT DE LA MAISON ?
POURRIEZ-VOUS ÊTRE PLUS PRÉCIS ?
JIM DAVIS 6-26

GARFIELD À PROPOS DES SUPER HÉROS

Plus vite qu'une boule de poils à grande vitesse ! Plus puissant que l'haleine d'un chien ! Capable de manger une pizza de la grandeur d'un terrain de football! Voici Garfieldman !

Je l'admets, j'ai toujours voulu être un super héros : me battre avec des méchants, voler au-dessus de la ville, avoir une jeune pupille comme acolyte. Mais je ne voudrais pas d'une de ces identités secrètes m'obligeant à porter une paire de lunettes fumées pour que personne ne me reconnaisse. Bonjour ? Superman ? Verres ? Ce n'est pas le meilleur moyen pour dissimuler complètement son identité. Je veux dire, de quelle façon Lois Lane peut être inattentif ? Non, si j'étais un super héros, je voudrais être davantage comme Batman : un millionnaire possédant une grotte secrète et une voiture réellement super puissante.

REGARDEZ AVEC ATTENTION! LE SANDWICH LE PLUS PUISSANT DE LA TERRE !

Mes vauriens pourraient aussi être vraiment colorés. Ils seraient Deadly Drool Bucke, le démon Dr Port-o-Let et le Stinkinator suprême - une partie homme, une partie mouffette. Bien sûr, comme tous les super héros, j'aurais ma faiblesse, une chose qui m'enlève du pouvoir : l'herbe à chat !

REGARDE LE CIEL
UN OISEAU, UN AVION !
NON, C'EST ...
WHOP!
SUPER POOKY !
© 1989 PAWS, INC. All Rights Reserved.
JIM DAVIS
10-9

GARFIELD À PROPOS DES TATOUAGES

Ici, ce que j'ai à dire à tous ces imbéciles couverts de tatouages : attendez d'avoir soixante ans. Vous n'avez jamais vu une personne de soixante ans ? Elles sont flasques et ridées. À quoi ressembleront ces dragons refroidis et les crânes enflammés lorsque vous serez desséchés comme un pruneau ? Ce ne sera pas beau à voir.

Mais je ne suis pas contre tous les tatouages. En fait, j'ai même considéré en avoir un. Il devrait avoir un petit quelque chose de spécial pour vraiment transmettre un message. Quelque chose comme « Né pour manger du bacon » ou « Mon maître est un pauvre type ».

En parlant de mon pauvre maître, Jon, il fait partie de ceux qui pourraient vraiment utiliser des tatouages pour rehausser leur personnalité.

HECK'S
Angels
CHESS RULES
POLKA
POWER!
DISCO
DADDY
BORN TO WHINE
SE2XY
4 MY
I
HOBBITS

GARFIELD
À PROPOS DES
OURSONS EN PELUCHE

Mes amis peuvent arriver et partir, mais avec mon ourson, c'est pour la vie. Hé, je n'ai pas honte d'admettre que j'aime mon Pooky (c'est le nom que j'ai donné à mon extraordinaire ourson). Pourquoi je ne l'aimerais pas ? Il est le compagnon parfait : mignon, câlin, compréhensif et toujours présent quand on a besoin de lui. En plus, il n'essaie jamais de monopoliser ma couverture ou ma nourriture. Et si j'ai une haleine de chien et que je veux un câlin... pas de problème.

Je peux partager mes pensées profondes - et mon sommeil profond - avec Pooky. Mais je ne veux partager Pooky avec quiconque. Une fois, je l'ai retrouvé alors qu'il était tout chaud - et ce n'était pas ma chaleur. Je l'ai accusé d'avoir donné un câlin à quelqu'un d'autre, mais finalement c'était Jon qui l'avait sorti de la sécheuse. Qu'est-ce que je pouvais dire ? Je suis un fou jaloux ! Je ne supporte pas de partager mon ourson.

C'EST LE POUVOIR DE POOKY ! DUH, DUH, DUH, DUUUH !
UN SEUL CÂLIN ET ON OUBLIE TOUT !
TU N'AS PAS BESOIN DE GROS MUSCLES POUR ÊTRE UN SUPER HÉROS !
© 1995 PAWS, INC. All Rights Reserved.
JIM DAVIS 3-6

GARFIELD À PROPOS DES SPÉCIALISTES DU TÉLÉMARKETING

RIIINNG

Ils appellent au moment le plus inopportun (généralement pendant le souper) en débitant un baratin publicitaire irritant.

Par exemple, ils vous demandent si vous voulez changer de fournisseur d'interurbains ou donner à un organisme de charité ou faire paver votre entrée de garage. Seriez-vous prêts à le faire ? Vous n'auriez pas besoin de ces vermines harcelantes et embêtantes pour le faire. Si vous êtes comme la majorité des gens, vous utilisez l'identification de l'appel entrant, le blocage d'appels, demandez le retrait de votre numéro de téléphone des listes d'appels - vous faites tout pour que ces nuisances téléphoniques cessent. Et elles continuent.

Les spécialistes du télémarketing sont les blattes de l'industrie de la vente, elles s'adaptent constamment à leur environnement; impossible de les exterminer. Ne serait-ce pas merveilleux si nous pouvions obtenir une liste de leurs noms pour aller leur casser les pieds ? Mieux encore, dans un monde parfait, votre téléphone serait muni d'un bouton qui vaporiserait ces véritables pestes !

GARFIELD À PROPOS DE LA TÉLÉVISION

Pour moi, le bonheur est un téléviseur tiède… que je sois endormi dessus, ou que je sois en train de le regarder jusqu'à ce que mon cerveau se transforme en bouillie pour les chats. Évidemment, c'est souvent d'une bêtise irraisonnée : actions peu plausibles, sexe et violence, coups de sifflet pour les chats et peaux de banane… Et ce ne sont que des dessins animés.

DANS L'AVENIR, LE CÂBLE DU TÉLÉVISEUR SERA RACCORDÉ DIRECTEMENT À VOTRE CERVEAU.

MAINTENANT, SI JE POUVAIS SEULEMENT PROGRAMMER LE MAGNÉTOSCOPE
12:00
Manuel d'instructions

La télévision révèle la condition humaine dans toute sa splendeur - et sa stupidité. Où pouvez vous voir ailleurs une véritable chirurgie d'urgence (littéralement, si vous avez une image dans une image), un idiot s'égorgeant lui-même à Madagascar avec des blattes sifflantes. La vérité dépasse la fiction.

Donc, appelez-moi chat tigré boîte à images, devant laquelle je me vautre de plein gré dans l'idiotie. Mais je continue à me considérer comme un spectateur critique; je n'aime pas l'opéra, les info publicités, les concours d'orthographe et, bien sûr, l'émission Westminster Dog. Quelques-unes de mes émissions préférées : « Cuisiner pour les deux mains gauches », « Théâtre boule de poils » et « Recyclez ce chauffard ».

Une télécommande, un bol de maïs soufflé et même un téléviseur.

BIENVENUE À LA CHAÎNE QUI DIFFUSE UNIQUEMENT DE L'OPÉRA
CLIC
BIENVENUE AUX CHEFS-D'ŒUVRE DE LA LITTÉRATURE.
CLIC
BIENVENUE À LA LUTTE PROFESSIONNELLE DES SINGES.
ENFIN
© 2000 PAWS, INC./Distributed by Universal Press Syndicate

VOICI, GARFIELD !
NOTRE NOUVEAU PASSE-TEMPS, NOTRE MÉGA CINÉ-MAISON.
NOUS AVONS UNE DÉFINITION NUMÉRISÉE GRAND ÉCRAN, CD, VHS, DVD, CD-ROM, SON AMBIOPHONIQUE
ALORS, VOICI LA MEILLEURE PARTIE .
CINQ ! COMPTE-LES CINQ TÉLÉCOMMANDES !
NOUS POUVONS PARTAGER !
JIM DAVIS 1-5

GARFIELD À PROPOS DE L'ACTION DE GRÂCES

Cela ne fait aucun doute, cette fête est l'une de mes préférées. Manger est le véritable passe-temps américain important et l'Action de grâces est le Super Bowl de la frénésie. Évidemment, le football est au menu, mais manger jusqu'à ce que vous explosiez est une véritable tradition de l'Action de grâces. Vraiment, du jour de la dinde jusqu'au jour de l'An, c'est le seul gros festin gras !

Généralement, je célèbre l'Action de grâces avec Jon, chez ses parents, et là, lorsque je suis chanceux, ses parents sont trop ballonnés pour parler. Ce n'est pas surprenant, étant donné l'énorme tartinade que sa mère prépare. Avons-nous réellement besoin de huit différentes sortes de pommes de terre ? Bien sûr que non, mais envoyer par-dessus bord le buffet n'est qu'une partie du plaisir. La goinfrerie aime la compagnie; alors vous poussez et vous engloutissez tout jusqu'à satiété ! (Je remercie simplement les pèlerins d'avoir choisi de la dinde plutôt que de l'opossum !)

TRUCS DE GARFIELD POUR MANGER À L'ACTION DE GRÂCES

OUBLIEZ L'ARGENTERIE ET LES ASSIETTES; UTILISEZ UNE PELLE ET UN ABREUVOIR.

LE MEILLEUR MOYEN POUR MANGER LA FARCE EST DE L'ASPIRER DIRECTEMENT DE L'OISEAU.

ROTEZ DOUCEMENT ET TRANSPORTEZ UNE GROSSE BAGUETTE.

UN SENTIMENT DE LOURDEUR DANS VOTRE POITRINE SIGNIFIE QUE VOUS AVEZ AVALÉ LA NAPPE.

S'ILS PEUVENT VOUS DÉPLACER SANS L'AIDE D'UNE GRUE, VOUS N'AVEZ PAS MANGÉ SUFFISAMMENT.

VOUS ÊTES REMPLIS LORSQUE VOTRE NOMBRIL SORT ET EXPLOSE DANS LA PIÈCE !

GARFIELD À PROPOS DES VOYAGES

Certaines personnes aiment voyager à travers le monde et visiter des endroits étranges et exotiques. Mais qui a besoin de perdre ses bagages, du décalage horaire, de dysenterie ? Lorsque je veux voir le monde, j'emballe moi-même une grosse collation et je clique sur la chaîne spécialisée dans les voyages. Je vois la culture de différents pays passionnants sans avoir à apprendre une nouvelle langue, à dormir dans un hôtel étrange, à comprendre la conversion d'une devise. Voilà le genre de vacances qui me convient!

AI-JE DÉJÀ EU DU PLAISIR ?

En parlant de vacances, j'ai eu plus de mauvaises que de bonnes expériences (merci Jon). La pire est survenue lorsque le « Touriste Tightwad » a demandé à l'agent de voyage de trouver un voyage « Tropical et peu dispendieux »; nous avons abouti dans l'île Guano-Guano. Quel gâchis dans la jungle. La température était chaude et collante, l'hôtel n'avait pas de service aux chambres et les sous-vêtements de Jon ont été infestés par des feuilles de fouine (ne posez pas de questions !).

Je n'avais qu'une seule envie : revenir à la maison; je suis définitivement resté pendant un moment. Si jamais j'ai encore envie de partir quelque part dans le monde, je pense que je visiterai uniquement la Maison internationale des crêpes.

BRAVO, NOUS SOMMES AU MAGNIFIQUE GUANO-GUANO, LES GARS !
JPM DAVIS 3-27
REGARDE, UN AUTOCHTONE ! ALOHA, DUDE !
©1995 PAWS, INC. All Rights Reserved.
C'EST ALOA !
OH, CE DOIT ÊTRE UNE FAÇON OBSCURE DE SOUHAITER LA BIENVENUE À GUANO-GUANO
NON. JE PENSE QUE C'EST UNIVERSEL.

GARFIELD À PROPOS DU VÉGÉTARISME

On considère le végétarisme comme un mode de vie. Moi j'appelle plutôt cela une forme d'insanité; vous devez être un peu fou pour renoncer à manger de la viande. Qu'en est-il du tofu ? Bien sûr, c'est sans gras et sans cholestérol. C'est aussi sans goût. C'est comme manger de la mousse de polystyrène. Mettez autant de condiments que vous le voulez sur une pièce de mousse de polystyrène, elle demeure spongieuse, démesurée et immangeable.

Les mangeurs de salade disent que c'est mauvais pour la santé de manger tout ce qui a un visage. Voilà pourquoi je dis alors n'en mangeons pas. Fixez cela sur le mur au-dessus de la cheminée.

Personnellement, je ne peux considérer la vie sans bœuf, poulet ou porc. Je suis un carnivore né. (Mon héros a toujours été le « Pain de viande », pour le plat et « Meat Loaf » pour le groupe rock.)

Alors laissons les têtes végétales et les gars au soya opter pour la cuisine sans cruauté. Je renoncerai à la viande lorsqu'ils se mettront le nez dans mes côtelettes de porc après ma mort.

GARFIELD, VOICI TON VÉGÉBURGER.
JIM DAVIS 4-21
QUOI ?
© 2004 PAWS, INC. All Rights Reserved.
EST-CE QUE LES VACHES SONT EN GRÈVE ?

© 2004 PAWS, INC. All Rights Reserved.
COMMENT VA LA SALADE ?
DEMANDE-LE-LUI TOI-MÊME. JE NE LUI PARLE PAS.
JIM DAVIS 4-22

GARFIELD À PROPOS DES VÉTÉRINAIRES

Je sais que ces professionnels de la santé sont les compagnons des animaux... mais pourquoi lors de chaque visite le vétérinaire s'engage-t-il à piquer, enfoncer et (frissons) à insérer des choses ? Nous sommes au 21e siècle. N'y a-t-il pas quelqu'un qui a pensé à une meilleure façon (et moins envahissante) de prendre la température ?

À part l'abus du thermomètre, ma vétérinaire (ou mon médecin personnel, comme j'aime l'appeler) est vraiment gentille. Jon aussi aime Dr Liz; il bave plus qu'Odie quand il s'approche d'elle. Mais elle prend ça avec humour. Je suppose qu'elle a l'habitude des gros animaux imbéciles.

LIZ

LES BÊTES NOIRES DE LIZ, LA VÉTÉRINAIRE

- Tortues gênées pathologiquement
- Chimpanzés qui mordent un cigare
- Hippopotames qui souffrent des hémorroïdes
- Perroquets mal embouchés
- Girafes avec infection à streptocoque
- Hiboux savants
- Pingouins trop habillés pour une rencontre décontractée
- Tout ce qui a la diarrhée

JIM DAVIS 6-24
© 2000 PAWS, INC./Distributed by Universal Press Syndicate
LE VÉTÉRINAIRE A PRIS LA TEMPÉRATURE DE GARFIELD.
ICI, PARLONS SANTÉ.
ICI, PARLONS DIGNITÉ.

GARFIELD À PROPOS DU TRAVAIL

Saviez-vous que la durée moyenne des vacances en Amérique du Nord est la plus courte dans les pays industrialisés ? Deux petites semaines. J'ai fait des siestes aussi longues. Un récent sondage révélait que près de la moitié des Nord-Américains ne planifient pas de prendre des vacances cette année. Il s'agit là d'un scandale national !

J'AI MIS SOUS TENSION MON « VISAGE AU TRAVAIL »

N'oublions pas les Japonais, nos camarades intoxiqués par le travail. Ils ont un mot spécifique pour cela, karoshi, qui signifie « mort causée par trop de travail ». Un scandale ! (Maintenant, mourir à cause du chocolat est d'un autre ordre...)

Ouais. Je sais que le travail est nécessaire; je ne veux simplement pas être celui qui le fait. Mais si vous voulez un travail comme moyen d'échapper à vos enfants, cela est bien compréhensible. Mais vous ne devez pas user vos doigts jusqu'à l'os. Les doigts sont mieux utilisés lorsque vous mangez des frites et du maïs en épi. Voyons les choses en face. Dans le monde actuel, il y a simplement trop de rats et pas assez de fromage. (Suis-je le seul à être prêt pour une pause dîner ?)

TU N'AS RIEN FAIT QUI RESSEMBLERAIT UN PEU À DU TRAVAIL AUJOURD'HUI ?
EN FAIT, LE DÎNER AVAIT QUELQUE CHOSE DE MOELLEUX.
© 1997 PAWS, INC. All Rights Reserved.
JIM DAVIS 6-25

Est-ce le train de sauces ? je dois monter dans le wagon de queue.

Tu peux vraiment travailler de manière à perdre ta queue.

RÉUNION URGENTE
PRIORITÉS

Tout diminue, sauf le travail.

Mon travail est un travail de jongleur... et toutes mes boules se ramassent sur le plancher.

GARFIELD À PROPOS DE LA LUTTE

Voici la question brûlante que tout le monde a à l'esprit : Est-ce que la lutte professionnelle n'est que du théâtre ? Je ne suis pas certain de la façon dont tout cela a débuté. Pourquoi personne ne questionne ce beau sport ? Bien sûr, quelques-uns des lutteurs ont des noms stupides - et même des costumes idiots.

Aussi, il est vrai que quelques-unes des méthodes pour se battre sont un peu marginales (vous ne trouvez pas que des lutteurs qui traînent des échelles dans l'arène ou qui frappent les autres avec des chaises pliantes sont bizarres ?). Mais où les gens ont-ils pris l'idée que chaque chose était truquée ?

Je ne peux pas parler pour les gars qui prennent des stéroïdes. Peut-être qu'ils font semblant. Mais si j'étais lutteur, je m'en passerais ! Je serais le Bulkster, le monticule rond de la mutilation. Et lorsque je sauterais dans l'arène, face à face avec mon opposant sac à puces, Bad 2D, la fourrure volerait !

SENS LA DOULEUR, CERVEAU D'OS !
Bulkster
CHOMPIAN

GARFIELD À PROPOS DU YOGA

SUIS-JE ENCORE CENTRÉ ?

Les célébrités, de Cameron Diaz à Sting, en font, mais qu'est-ce que c'est exactement ? Le yoga provient de la philosophie hindoue et signifie « union »; l'union entre le corps et l'esprit et, de façon plus large, entre la conscience de l'individu et la conscience universelle. Maintenant, comment cela se produit en twistant sur soi-même comme un bretzel, cela me dépasse.

Je n'aime pas la partie exercice du yoga, je préfère la partie relaxation. En fait, le yoga enseigne la pratique de la relaxation totale au cours de laquelle aucune énergie n'est consommée. Pendant toutes ces années où je me reposais sans mouvement, j'ai vraiment fait du yoga. Qui pouvait deviner ?

Les positions de yoga préférées de Garfield

La sauterelle dormante

L'arbre tombé

La dépouille

GARFIELD À PROPOS DE TOUT LE RESTE

CONSEIL
J'en ai plein. À savoir : toujours être sincère, que vous le vouliez ou non. Toujours être vous-même, à moins que vous puissiez être quelqu'un de plus jeune... ou de plus riche.

ARMAGEDDON
Signes de la fin des temps : Odie se joint à Mensa; je fais partie des Weight Watchers. Naturellement, Armageddon se produira un lundi.

BALLET
Beau, mais le « tutu » m'ennuie. Si seulement les ballerines s'engageaient dans la boxe orientale...

BASEBALL
Le baseball est un mouvement lent, mais alors c'est ce que je suis. Je n'aime pas le regarder à la télévision, mais j'aime aller au terrain de balle, en autant que j'aie un bon siège - p. ex., près du vendeur de hot dogs.

G

BALLON PANIER
Je suis comme le ballon panier : orange, rond et presque toujours plein!

PLAGES
Chaudes et merveilleuses. Je ne veux pas dire les pataugeuses des années 1980. Je veux dire de véritables plages, avec des rayons chauds ou un soleil de plomb et des journées de paresse. Soleil, plaisir, sable, sommeil... Je veux seulement me tenir à l'écart de l'eau claire. Nager nécessite trop d'énergie. Je ne suis pas un appât pour les requins.

LES OISEAUX
À moins que je ne les mange, les oiseaux sont pour les oiseaux. Ma philosophie : « Un oiseau dans la main pourrait être bien meilleur dans la bouche. »

L'ENNUI
Signes que vous vous ennuyé : vous tressez vos sourcils, ensuite, vous dessinez des petits visages sur vos ongles en prétendant que chaque doigt est une personne.

GARFIELD À PROPOS DE TOUT LE RESTE

LES PATRONS
La majorité des employés pensent que leur patron est un idiot... Et ils ont raison !

ROTER

BURP!

Ça fait du bruit et ça ne me dérange pas. Hé, c'est cathartique... avec une bonne dose de plaisir ! Une fois, j'ai déclenché un rot épique qui a été enregistré à 8,7 sur l'échelle de Richter. Maintenant, c'est ce que j'appelle un « rot-tremblement de terre »!

OIES DU CANADA
Descente en piqué, fiente, nuisance criarde. Pourquoi le gouvernement fédéral les protègent-elles ? Pourquoi ces indésirées n'apportent-elles pas du sirop d'érable avec elles ?

LES AUTOS
Je voudrais que Jon échange son wussmobile pour un chariot de proxénètes chargé à ras bord.

VÉRIFICATION COMPTABLE
Rappelez-vous : vous n'êtes pas à découvert... Vous êtes « sous déposés »!

ENGAGEMENT
Je ne suis pas effrayé par l'engagement tant et aussi longtemps que les choses ne deviennent pas trop sérieuses. Je pourrais m'engager à passer le reste de ma vie devant le téléviseur avec un seau de poulet et un lot de six chiens esclaves.

CHAPERON
Lorsque la vie vous donne des citrons, donnez-leur des coups sur le nez !

CROISIÈRES
J'aime ces palettes flottantes ! Buffet de minuit, y'a quelqu'un ?

DENTISTES
Manger de l'ail et des oignons avant votre rendez-vous chez le dentiste fera en sorte qu'il n'aura pas envie de jouer avec sa fraise dans votre bouche.

GARFIELD À PROPOS DE TOUT LE RESTE

DONALD TRUMP

J'aimerais le faire disparaître. Je voudrais aussi arranger sa coupe de cheveux.

EMPLOI DE RÊVE

Le mien pourrait être goûteur professionnel et testeur de lits.

BOULES DE POILS

Les boules de poils dans la gorge sont un équipement standard pour nous les chats. Nous aimons les couper et les partager. En fait, j'ai donné des boules de poils en cadeau de Noël à Jon et à ma voisine, madame Feeny. Ne vous inquiétez pas, elles étaient emballées !

CÔLON

Cette « hydrothérapie » nouvel âge est supposée nettoyer votre côlon et purifier votre système. N'importe quoi. Je pense que les gens qui dépensent beaucoup d'argent pour cela ont plutôt besoin d'irriguer leur cerveau.

RÉNOVATIONS RÉSIDENTIELLES

Je ne suis pas ce que vous pourriez appeler un « manuel » dans la maison. Mais avec les outils adéquats, je peux briser n'importe quoi.

JIM DAVIS

Jim est mon créateur. Voyons les choses en face. Je suis l'unique devin dans les environs. Jim est intelligent, et suffisamment intelligent pour rester en arrière-plan et me laisser exhiber ma camelote stellaire.

LAQUAIS

« Flagorneurs », « subalternes », peu importe le nom de service, vous ne pouvez être un chef sans eux. Sans laquais, Jules César aurait été simplement un gars comme les autres.

GARFIEL

GARFIELD À PROPOS DE TOUT LE RESTE

VIE
La vie est une chaîne alimentaire : Mieux vaut être le bouffeur que le restaurant.

POSTIERS
Qu'il neige ou qu'il pleuve... rien ne m'empêchera de malmener le postier pendant ses tournées.

DÉSORDRE
Peu importe où j'en dispose, c'est le meilleur endroit. De votre côté, vous appelez cela un désordre; j'appelle plutôt cela mon propre écosystème.

COUPE DE CHEVEUX
Trouvée dans les meilleures bastringues et arénas de hockey de partout. Si Jon fait pousser une de ces queues de castor, je me procure un taille-haie !

OPÉRA
Le mot peut provenir du latin pour « travaux », mais selon moi il signifie « mal d'oreille ». Je préfère que mes opéras soient une variété de feuilletons et que mes sopranos soient de type mafia.

LANGAGE SECRET DES ENFANTS
C'est peut-être un des langages romantiques, mais c'est parfait pour les déceptions. Ne pensez-vous pas ? Alors, in-ti-be eu-tu !

PIRATES
Yo ho ho... les pirates sont quelque chose dont vous ne vous lassez jamais ! Mes favoris sont Barbe noire, le Capitaine Hook et Roberto Clemente.

GARFIELD À PROPOS DE TOUT LE RESTE

BLAGUES PRATIQUES

Je les aime - tant qu'elles ne me sont pas destinées. Naturellement, j'ai créé le matériel réglementaire : cirer les chaussures de Jon, mettre des ballons pleins d'eau dans ses pantalons, raser sa tête pendant qu'il dormait. Mais le maître blagueur que je suis a aussi inventé des bizarreries : vernir le chihuahua de madame Feeny, enrubanner Odie à une assiette satellite et attacher les lacets de chaussures de Jon à un jet prêt à s'envoler !

Z

PROCRASTINATION

Je vous donnerai mon opinion demain.

LE JOUR DE LA SAINT-PATRICK

J'aime cette fête : c'est un bon plaisir vert! Je suis né pour fêter cordialement en coeur et faire du baratin !

DÉPOUILLEMENT

Je fais beaucoup de dépouillement. Jon est prêt à s'arracher les cheveux. Il avait un poil de chat dans sa nourriture, son visage, ses vêtements, ses meubles... En fait, une fois il a tellement inhalé de poils de chat qu'il a dû couper une boule de poils !

MAGASINAGE

Aucun problème n'est assez gros pour qu'il ne puisse être réglé par une séance de magasinage. Mais rappelez-vous, l'argent n'est pas tout. Il y a aussi le plastique.

MALL

SNOOPY

En années chien, ne devrait-il pas être mort ?!

APNÉE

La vie marine est belle, intéressante et pardessus tout, savoureuse !

GARFIELD À PROPOS DE TOUT LE RESTE

FEUILLETON
J'aime les feuilletons : amour, larmes... et pas de gros ténors !

STRESS
Consultez TRAVAIL, LUNDI et MARIAGE.

LOTERIE
Si vous lisez ceci, VOUS DEVEZ ÊTRE PRÊT À GAGNER !

VENDEURS D'AUTO USAGÉES
Ces êtres bizarres se classent directement avec les politiciens. Ils vous mettront dans un bon véhicule usagé plus vite que vous ne réussirez à dire « remettez l'odomètre à zéro ». Croyez-moi.

VAMPIRES
Froid, suceur de sang sans âme qui draine la vie hors de vous. Consultez AVOCATS.

TEMPÉRATURE
Mes prévisions annoncent de la paresse, avec des siestes dispersées.

FINS DE SEMAINE
Elles devraient débuter le mercredi. C'est vrai : si nous étions empereurs, nous aurions une semaine de travail de deux jours avec une fin de semaine de cinq jours. (Pourquoi ne serais-je pas un empereur de toute façon ?)

HIVER
L'hiver me laisse froid. L'unique bonne chose à son sujet, c'est Noël. Oh, et puis les chiens puent moins.

BOUTONS
C'est une tradition bien connue que Jon a une poussée d'acné juste avant un rendez-vous. Mais ce n'est pas un gros problème car il a un rendez-vous une seule fois par année.

Z
GARFIELD
EN PROFONDEUR